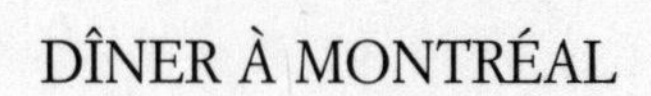

DÎNER À MONTRÉAL

DU MÊME AUTEUR

chez le même éditeur

En l'absence des hommes, roman
Son frère, roman
L'Arrière-saison, roman
Un garçon d'Italie, roman
Les Jours fragiles, roman
Un instant d'abandon, roman
Se résoudre aux adieux, roman
Un homme accidentel, roman
La Trahison de Thomas Spencer, roman
Retour parmi les hommes, roman
Une bonne raison de se tuer, roman
De là, on voit la mer, roman
La Maison atlantique, roman
Vivre vite, roman
Les Passants de Lisbonne, roman
« *Arrête avec tes mensonges* », roman
Un personnage de roman, roman
Un certain Paul Darrigrand, roman

aux éditions Grasset

L'Enfant d'octobre, roman

PHILIPPE BESSON

DÎNER À MONTRÉAL

roman

Julliard

ISBN 978-2-260-05317-0
Dépôt légal : mai 2019

« C'est toujours l'histoire d'un garçon qui s'en va et d'un autre qui attend son retour. »

Andrew McMillan,
Le Corps des hommes

Je vous ai parlé de Paul Darrigrand.

Je vous ai parlé de ce jeune homme aux yeux noirs, qui venait jadis me retrouver dans ma chambre d'étudiant à Bordeaux ; c'était en 1989. Je vous ai parlé de notre amour clandestin, vécu dans le plus bel âge, tandis que je valsais dangereusement avec la mort ; de cet amour inabouti, finalement renvoyé au néant, à la fin d'un été.

Je vous ai avoué également que j'avais fini par revoir Paul. Longtemps après.

À Montréal, où il travaillait alors. J'étais de passage au Québec pour la promotion d'un de mes romans. Ma présence dans une librairie était annoncée ; c'est comme ça qu'il avait su.

Souvenez-vous : il s'était présenté devant moi, un exemplaire à la main. Dans la file d'attente, il avait patiemment attendu son tour.

Il n'avait pas changé. Pas du tout. J'avais été saisi de constater qu'on pouvait demeurer intact, identique, étant moi-même tellement devenu un autre. Mais je m'étais comporté comme si tout était normal, comme s'il n'y avait pas la surprise, l'ébahissement et la fébrilité soudaine.

On avait d'abord échangé des paroles banales. À propos de la ville, de la météo, de son travail (je n'avais pas compris ce qu'il faisait, peut-être que je n'écoutais pas vraiment) et de je ne sais plus quoi encore.

Je ne lui avais pas demandé s'il était toujours marié, j'avais simplement remarqué qu'il ne portait pas son alliance.

Il ne m'avait pas demandé comment j'allais. Mais il avait dit qu'il avait de mes nouvelles par les livres (oui, il avait employé cette expression, *j'ai de tes nouvelles par les livres*, je l'avais imaginé les achetant peu après leur publication, les lisant vite, trop vite sans doute, y cherchant à son corps défendant une trace de ce que nous fûmes l'un à l'autre, la débusquant quelquefois, sans savoir si cette découverte était une douleur ou un baume).

Et puis, c'était venu, brusquement, en une seconde, l'intimité, entre nous : il m'avait demandé si *je lui en avais voulu*.

Je l'avais fixé, il était très beau et très vulnérable, je m'étais alors souvenu de sa beauté d'avant, de ses lourdes boucles brunes, de la rondeur de ses épaules, de son ventre où je posais ma tête, je m'étais souvenu de la rue Judaïque, des étreintes et des départs, je m'étais souvenu de sa voix dans le combiné du téléphone les soirs d'hôpital, j'avais imaginé qu'il parlait de la rupture, de la fin de notre histoire, de cette béance, et de nos existences qu'il avait bien fallu sauver après ça, et, sans ciller, je lui avais répondu que non.

J'avais ajouté, dans un sourire : qu'est-ce que tu veux, il y a des gens comme ça, qu'on exonère de tout reproche, même si c'est injuste, même si c'est incompréhensible.

En retour, il m'avait dévisagé longuement et il m'avait semblé que des larmes affleuraient. J'avais cessé de sourire.

Il avait juste dit : moi, je m'en suis voulu.

Ce que je ne vous ai pas raconté, c'est ce qui s'est passé juste après.

Mais commençons par être précis puisque tout récit mérite exactitude et que les circonstances, à certains égards, sont déterminantes : l'année où cette rencontre se produit, c'est 2007.

Vous savez, cette année qui s'ouvre avec l'envoi par George W. Bush de vingt mille soldats supplémentaires en Irak tandis que le lieutenant Ehren Watada comparaît devant la cour martiale de Fort Lewis pour avoir refusé de partir combattre en arguant que cette guerre « basée sur des mensonges » avait un caractère « illégal et immoral ». Pendant ce temps, Steve Jobs présente au monde le tout premier iPhone. En France, on se prépare à élire un nouveau président, Maurice Papon est inhumé avec sa décoration de commandeur de la Légion d'honneur, Michel Polnareff remonte sur scène après de nombreuses années d'absence. Ce sont ces choses-là qu'on voit aux actualités, qu'on lit dans les journaux. Je pourrais assurer que je m'y intéresse, mais en fait non. Ou plutôt pas vraiment. J'entends le fracas du monde, le clapotis des péripéties mais rien ne s'accroche, rien ne demeure. J'écris des livres, je suis dans l'écriture, qui isole, qui retranche.

Je viens d'avoir quarante ans. J'affirme à qui veut m'entendre que ce basculement m'est indifférent. Je mens, bien sûr. J'ai compris que la jeunesse s'est définitivement enfuie – tout dans mon apparence en témoigne, et puis j'ai égaré l'espièglerie, la vivacité, je suis devenu sérieux – et je devine que tenter de m'y raccrocher aurait désormais quelque chose de pathétique : il serait même préférable de renoncer aux résidus d'insouciance, de légèreté, ne serait-ce que pour ne pas paraître ridicule. Je songe que cet âge me paraissait canonique quand j'avais vingt ans. Je prends conscience que ce sont presque vingt années, justement, qui se sont écoulées depuis le baiser de Paul sur ma balafre, son adieu, la séparation actée dans un appartement inconnu, jamais revu, des Buttes-Chaumont.

Le mois, c'est avril.

Nous sommes dans cette saison qui n'en est pas une au Québec : le printemps ; ce laps de temps très court qui débute avec la fonte des neiges et s'achève avec les premières chaleurs, on passe du blanc au vert, du givre à la douceur en quelques semaines à peine, parfois quelques jours. Quand je débarque, l'hiver a presque fini de céder, il subsiste encore ici ou là – je les aperçois derrière la vitre du taxi – des étendues blanches et froides, des blocs de glace hors d'atteinte qui s'égouttent mais les arbres sont déjà feuillus, les érables se gorgent de sève et les gens dans les rues se sont débarrassés des manteaux, des anoraks qu'ils portaient sans discontinuer depuis près de six mois, ils parlent probablement du retour des beaux jours mais ne s'étonnent pas d'une brutalité pareille, ils sont habitués, il n'y a que nous, les étrangers, que ça surprend. Je contemple un ciel bleu, sans tache, on dirait un ciel californien, où se dessine soudain un immense V parce que les oies sont de retour, je descends la vitre pour sentir le soleil sur ma joue, et c'est comme un baume (j'ai quitté une France sous la pluie, Paris était claquemuré dans sa grisaille). J'en oublierais presque que je ne suis pas venu pour des vacances, on m'a même concocté un programme chargé, je suis annoncé dès le lendemain à Québec, en attendant on m'installe à l'hôtel de la place d'Armes dans le Vieux-Montréal, on me prévient qu'un petit salon y a été réservé afin que je rencontre des journalistes à la queue leu leu, et qu'une signature aura lieu en fin d'après-midi dans une librairie. J'obéis.

Que je vous dise : je suis venu avec Antoine. On s'est rencontrés, lui et moi, dans un train, trois mois plus tôt. Lorsqu'il s'est assis – affalé, ce serait plus juste – à la place à côté de la mienne, il m'a d'emblée demandé s'il s'agissait bien du train pour Limoges. J'ai opiné, après avoir discerné chez lui une sorte d'affolement. Il a jugé bon d'ajouter : j'ai raté celui de dix heures trente. J'ai cru qu'il avait besoin non pas d'engager une conversation mais de raconter sa mésaventure. Pour l'encourager, j'ai dit : vous êtes arrivé trop tard ? Il a dit : non, je me suis trompé de gare. Il m'a alors expliqué qu'il s'était rendu à Saint-Lazare, où il avait fini par comprendre son erreur. J'ai dit : vous n'êtes pas Parisien, c'est ça ? Il s'est offusqué : si, pourquoi ? Je me suis demandé quel Parisien pouvait imaginer que les trains pour Limoges partaient de la gare Saint-Lazare. Il m'a plu instantanément.

Après, nous avons parlé. Beaucoup (le trajet dure plus de trois heures). Enfin, c'est surtout lui qui a parlé. Il est comme ça, Antoine, il se livre, sans retenue, sans filtre, avec innocence. C'est donc dans un train Corail traversant une campagne alanguie que j'ai appris qu'il était né à Lomé, au Togo, parce que son père y travaillait alors. Français expatrié, ce dernier occupait un poste important dans une mine de phosphates. Antoine avait passé son enfance là-bas, dans ce petit pays tout en longueur, qui ressemble à une virgule, coincé entre le Bénin et le Ghana. Il m'a raconté les vallées et les montagnes, les plaines arides et les savanes plantées de baobabs. Il m'a surtout raconté les après-midi passés sur des plages de sable fin, à l'ombre des cocotiers, la paresse de l'enfant qu'il était. Et le débarquement à Paris alors qu'il venait juste d'avoir dix ans, parce que ses parents divorçaient et que sa mère rentrait en France, n'en pouvant plus de cet exil. Il m'a raconté le choc, le déracinement. Et puis il a dit qu'il s'y était fait. Avant d'ajouter : mais je reste africain, tu ne te débarrasses pas de l'Afrique (il m'avait tutoyé dès le commencement de son récit). Il a précisé qu'il suivait des études de marketing dans une école privée (j'avais dû lui poser la question) : Antoine a vingt et un ans. À un moment, était-ce vers Châteauroux, il m'a demandé à son tour ce que je faisais dans la vie. Quand j'ai répondu : des livres, il ne s'en est pas étonné, n'a pas cherché à en savoir davantage, il a rapidement changé de sujet, j'ai compris que ça ne l'intéressait pas tellement, que ça ne l'impressionnait pas du tout. En gare de Limoges, quand il a fallu que nous nous séparions, il a lancé, sans la moindre timidité : tu me files ton numéro ? Je le lui ai donné, convaincu qu'il n'appellerait jamais. Il a appelé. L'histoire a commencé.

Quand je lui ai appris que j'étais invité à Montréal et que je lui ai proposé de m'accompagner, il a répondu oui instantanément, il n'a pas hésité, il a juste précisé : j'inventerai un mensonge pour ma mère. Antoine sait très bien mentir. D'ailleurs il ne lui a pas indiqué, à sa mère, qu'il vivait avec un type qui a le double de son âge. De toute façon, il n'est pas certain de préférer les hommes, ni d'aimer les vieux. Mais il est bien avec moi. C'est ce qu'il prétend en tout cas. Et je le crois. Ou je fais semblant.

C'est un garçon au cul rebondi, qui se déplace en rollers, un garçon aux yeux bleus, aux cheveux clairs, avec un sourire trop grand.

Donc, en ces premiers jours d'avril 2007, on débarque à Montréal, Antoine et moi, on s'installe à l'hôtel. Tandis que je m'en vais répondre à des interviews, il lézarde dans les couloirs, court sur un tapis à la salle de sport ou boit des cocktails fluorescents au bar. Et quand il est finalement l'heure de partir pour rejoindre la librairie, il dit : je ne viens pas, je ne vais pas jouer les plantes vertes. Je pars sans lui.

C'est dans cette librairie, ce soir-là, qu'a lieu la réapparition de Paul. C'est là qu'il demande si *je lui en ai voulu*. Pour quoi, d'ailleurs, lui en aurais-je voulu ? Pour la violence de la rupture ? pour la lâcheté ? pour la tristesse qui s'est ensuivie ? Ou parce que nous sommes peut-être passés à côté d'une belle histoire ? Il ne précise pas. Je ne l'interroge pas. (Pourtant, ce n'est pas du tout pareil, un regret et un remords, c'est même si différent que, dans cette différence, on peut loger une vie ratée.) Je préfère répondre non. *Non, je ne t'en ai pas voulu*. Parce que je ne tiens pas à y réfléchir. Parce que c'est plus simple, plus rapide. Parce qu'il y a des gens qui font la queue derrière lui. Parce que ça ne lui fera pas de mal, ce non, et qu'il a besoin de ne pas avoir mal. Non. Et je souris. Pour démontrer que tout ça, *au fond*, n'a plus d'importance. Mais il ne sourit pas en retour. Lui s'en est voulu. Voilà.

Je pourrais me contenter de cette phrase, cette sentence, la laisser en suspens. Je pourrais laisser Paul repartir, sans chercher à comprendre, sans réclamer une explication. Après tout, je viens moi-même d'insinuer que tout cela ne comptait plus. Je pourrais et je *devrais*. Quel intérêt y aurait-il à déterrer le passé, à ressasser ? Il n'y a sans doute que des coups à prendre. Et je ne suis pas masochiste. Oui, vraiment, je n'ai qu'à faire comme si je n'avais pas revu Paul, comme si ça n'était pas arrivé ; sa présence, ses mots, son aveu. Ce n'est pas bien difficile. Ce n'est pas comme si notre rencontre avait été organisée, comme si j'en avais escompté quelque chose. Il me suffit de sourire, de plisser les yeux, sans rien ajouter, afin de lui donner congé élégamment, et puis de me saisir du livre que celui ou celle qui se trouve derrière lui dans la file d'attente ne manquera pas de me tendre aussitôt, de demander un prénom, de griffonner une dédicace, une signature. Et de reproduire ce geste avec un autre, et encore un autre, et ça partira, ça s'estompera. Et, avant d'aller dormir, je me contenterai de lancer négligemment à Antoine : tiens, c'est drôle, j'ai revu quelqu'un avec qui j'ai fait mes études, Antoine ne me questionnera pas, il se moque éperdument de l'ancien temps, on parlera d'autre chose, on baisera, ça n'aura pas existé, presque pas. Mais, bien entendu, ce n'est pas ce qui se produit.

Je lance à Paul : ce soir, on m'a organisé un truc mais je peux faire faux bond. On pourrait dîner ensemble, si tu veux.

Les mots sont sortis sans que je les commande, je le jure. Ils se sont imposés à moi. Ils se sont formés en dehors de ma volonté propre. Ils procèdent de quelque chose qui m'échappe. Je sais parfaitement que c'est impossible et cependant, j'ai l'impression de n'avoir pas décidé, d'avoir obéi (à quoi ?). Et c'est trop tard maintenant. Ils ont été prononcés, les mots. Je ne vais pas les reprendre, les contredire.

(Après coup, j'ai compris : le trouble de Paul et surtout son *infériorité* soudaine ont fabriqué ce surgissement, cette invitation. Je ne l'avais en réalité jamais vu en situation de faiblesse. Paul, pour moi, c'était un dominant. Et du reste, il l'était visiblement encore : sa prestance, son allure témoignaient d'une éclatante réussite professionnelle. Seulement voilà, d'un coup, il mettait un genou à terre. L'unique réflexe envisageable, c'était de le relever.)

Je fixe l'homme, étant condamné désormais à attendre sa réaction.

D'abord, c'est très bref mais immanquable, il y a, chez lui, de la surprise. Il s'apprêtait à partir, avait déjà entamé un pas de côté, il devait se demander comment prendre congé, quelle formule il allait devoir employer, content de t'avoir revu, prends soin de toi, merci pour la signature (car je l'avais signé, le livre, sans écrire de message particulier, sans même convoquer un souvenir commun, j'avais simplement écrit *affectueusement*, et signé de mon seul prénom, j'avais admis que le livre, la signature, la librairie n'étaient qu'un prétexte). Ou tout simplement : bon courage, au revoir. Éventuellement : à un de ces jours, peut-être.

Et voici que je propose ce dîner et il lui faut revoir tous ses plans.

Ensuite, je crois discerner une sorte de soulagement : ainsi, songe-t-il, je ne suis pas comme tous les autres, ceux-là qui font la queue, je ne suis pas indistinct, et il doit en déduire : je ne suis pas venu pour rien, mon geste n'est pas sans conséquence et surtout mon aveu – si délicat, sans doute – n'est pas resté vain, sans réplique, j'ai échappé à ce qui aurait été une petite humiliation.

Aussitôt, j'aperçois le retour de sa fierté, il y a ça, très nettement, le redressement du corps, la résurgence de sa fameuse supériorité. Je l'ai raconté : lorsque nous étions *ensemble,* c'est lui qui dictait le tempo. C'est lui encore qui, au fond, vient de m'obliger à réagir. C'est lui qui m'a conduit à rétablir l'équilibre ; le lien, peut-être.

Et enfin, un léger affolement. Qui voile son regard. Parce que la balle qu'il a lancée lui est renvoyée et qu'il doit en faire quelque chose. Il dit : oui, oui pourquoi pas. Il paraît hésiter. J'ignore ce qui provoque son hésitation, alors même qu'elle est somme toute naturelle, acceptable.

Il se racle la gorge et ajoute : j'en parle à Isabelle et je te tiens au courant.

Beaucoup d'informations dans cette seule phrase, si banale pourtant : il est toujours marié, toujours à la même femme, et il sollicitera son agrément, il ne fera rien sans son accord, il se soumet à sa décision. Je fais l'hypothèse qu'il ne l'a pas informée de sa démarche, ce curieux rapprochement avec son ancien amant, et qu'il va devoir s'en expliquer. Il semble avoir bon espoir de la convaincre. Sinon, il aurait d'emblée décliné l'invitation. Il faut dire que tant d'années ont passé. Et la victoire de l'épouse est totale.

Je lui fournis néanmoins le courage qui pourrait lui manquer. Je précise : si c'est oui, sache que, de mon côté, je viendrai avec Antoine.

Je mentionne Antoine, sans rien ajouter. Pas besoin. Le prénom à lui seul raconte l'histoire. Ainsi les forces en présence sont connues. Et le dîner devient la simple conjonction de deux couples. C'est aussi une façon de signifier qu'il n'y a aucune ambiguïté, que personne ne risque rien. Et c'est ma façon de lui apprendre que la page est vraiment tournée, et depuis longtemps, que tout va bien pour moi. Il sourit. Mais d'un sourire énigmatique.

J'enchaîne, sans m'attarder : je te donne mon numéro et tu me rappelles pour me dire ce qu'on fait. Je m'exprime comme si j'enfonçais une porte ouverte, alors que la situation relève de tout sauf de l'évidence.

Je reprends le livre de ses mains, y griffonne à la hâte les dix chiffres de mon portable, le lui redonne, m'employant encore à ne rien montrer de l'émoi qui s'est emparé de moi.

Il s'écarte, en serrant le livre contre lui, s'interrompt pour me lancer, dans un sourire : au fait, à Montréal, le soir, on ne dîne pas, on soupe, puis s'éloigne en m'adressant un signe de la main bref et un peu maladroit. Désormais, je n'ai plus qu'à attendre. En m'efforçant de ne pas penser à l'effet que produit sur moi ce qui vient de se passer. Je me focalise aussitôt sur la jeune femme qui me tend son exemplaire de *Se résoudre aux adieux*. Elle explique qu'elle se prénomme Claire, qu'elle s'est reconnue dans l'héroïne, qu'elle aussi a dû accomplir le deuil d'un homme qui l'a quittée, et que mon roman l'y a aidée. Je lui souris mécaniquement.

Vingt minutes plus tard, mon téléphone vibre : Paul laisse un message d'une parfaite sobriété. Il mentionne une adresse et une heure. Demande une confirmation. Je rédige un bref texto en retour : c'est noté, à ce soir.

Je ne conclus pas le texto par un « bises » ou « je t'embrasse », ces mots qu'on rédige le plus souvent par politesse, sans même y prêter attention, non, je ne les emploie pas parce qu'en l'espèce ils seraient porteurs d'une tendresse dont j'ignore si elle est appropriée. D'ailleurs, lui-même ne les a pas employés.

Quand je rentre à l'hôtel, j'informe mes hôtes que je n'assisterai pas aux agapes officielles qui ont été prévues parce que j'ai retrouvé un vieil ami, *quelqu'un qui a beaucoup compté pour moi et dont j'avais perdu la trace* (je me rappelle très bien avoir dégainé cette formule, qui n'était pas inexacte, même si elle dissimulait l'essentiel : le sentiment amoureux, les étreintes, la clandestinité, les mensonges, le manque abominable, après) et que je ne peux pas laisser filer cette unique occasion de renouer avec lui. Ma défection les contrarie, c'est patent mais ils savent qu'aucun argument ne peut valablement contrer cet élan du cœur. Ils rendent les armes. Ensuite, je rejoins Antoine dans notre chambre pour l'informer à son tour. Quand je lui présente la configuration de ce dîner en ville (ou plutôt de ce souper, donc), il se contente d'éclater de rire. Nulle angoisse chez lui. Peut-être même un peu d'excitation. Il dit : c'est toujours bien, au théâtre, d'être aux premières loges, à ce qu'il paraît. J'embrasse sa bouche. On a juste le temps de se préparer.

(Une précision : je n'ai pas demandé à Antoine s'il était d'accord. Je ne lui ai pas non plus demandé s'il était gêné. J'aurais volontiers admis qu'il refuse de se joindre à nous. Mais je n'allais pas me lancer dans des négociations. Et notre relation était trop récente, trop incertaine pour que l'un de nous en soit déjà à abdiquer une part de sa liberté.)

Quand il ressort du dressing, habillé pour notre étrange virée, je le trouve magnifique. Je dois à l'honnêteté de signaler que j'ai été happé, dès les commencements, par sa beauté. Elle continue de me saisir, cette beauté désinvolte et carnassière. D'ailleurs, je n'y suis pas encore complètement habitué. Quelquefois, elle me prend par surprise. Dans le désordre des draps le matin, dans l'embrasure d'une porte de l'appartement d'Alésia, sur la banquette d'un café où je le rejoins. Dans l'ouverture de ses bras quand il se réveille, dans la rotation sur lui-même qu'il accomplit pour stopper sa course en rollers, dans une certaine manière de se cambrer. Il y a des types comme ça qui n'ont besoin de rien faire. Ça émane d'eux. C'est là.

C'est tout. Il est de ces types-là. Le soir du dîner de Montréal, il s'est contenté d'enfiler un jean (déchiré), une chemise (blanche), une veste (à moi, empruntée sans demander la permission) et ça suffit, ça suffit pour qu'on ne voie que sa sensualité, sa fraîcheur, pour que ça éclate.

J'en suis aussitôt gonflé d'orgueil – sentiment un peu misérable, haïssable.

Un jour, il me dira : ça rétablit la balance. Comme je ne comprends pas, il finit par m'expliquer : c'est toi que les gens regardent, parce que tu es écrivain, parce qu'ils t'ont vu à la télévision, alors cette beauté dont tu parles, oui, ça rétablit la balance, on me regarde moi aussi.

Il ajoutera : chacun ses dons. Toi, le don que tu as reçu, il te permet de faire des romans. Moi, le mien, il me permet de plaire. J'aurai la maladresse de lui objecter que *ce n'est pas tout à fait la même chose*. Il me reprendra aussitôt : parce que tu as décidé de savoir écrire des livres ? ça ne t'est pas tombé dessus, peut-être ? La discussion n'ira pas plus loin.

Au chauffeur de taxi, je confie l'adresse figurant dans le SMS de Paul, sans y prêter attention, je suis encore sous le choc de la beauté d'Antoine, je pense à l'effet qu'elle va immanquablement produire, aux interprétations auxquelles elle donnera lieu (« il l'a choisi pour ça, il le trimballe comme un trophée, et l'autre doit être idiot, quand on est si beau on ne peut pas être intelligent, ça doit même être un peu une pute pour aller avec un vieux : c'est évident qu'il est intéressé »), le taxi effectue sa course. Quand on arrive à destination, je me rends compte qu'il nous dépose dans le Village, c'est-à-dire le quartier gay. Je ne peux m'empêcher de trouver curieux d'avoir opté pour cet endroit. Antoine lui-même m'en fait la réflexion : ils croient qu'on serait en manque si on n'était pas cernés par les pédés ? Je me dis qu'elle promet, cette soirée.

Néanmoins, la façade est belle : de larges baies vitrées où pendent des ampoules multicolores permettent d'entrevoir, malgré le soir déjà tombé, un intérieur cosy. Quand on franchit la porte, on découvre un mélange de textures : des briques rouges, un plancher en bois usé, des plafonds cuivrés très hauts et des tables en cerisier, tandis que des miroirs gigantesques s'efforcent de donner un peu de profondeur à un lieu plutôt étroit. Aux murs sont accrochées des ardoises géantes signalant un tropisme français.

Je finis par repérer Isabelle. Elle s'est déjà installée à une table, elle est seule, elle nous remarque elle aussi, nous fait un petit signe de la main. Tandis qu'on s'approche, je prends conscience que quelque chose a changé en elle, sans être capable de définir quoi précisément, je songe : elle a vieilli, des rides ont fait leur apparition, pourtant ce n'est pas ça, c'est autre chose, ce n'est pas un changement, plutôt une modification, et soudain je sais : elle s'est embourgeoisée, oui, ce qui fait toute la différence, c'est l'embourgeoisement. Elle se lève et on s'embrasse. Elle dit : Paul aura un peu de retard, il est repassé au bureau, une urgence, je n'ai pas bien compris, mais il arrive. Je lui présente Antoine. Elle fait comme si elle n'était pas déroutée par sa jeunesse, cependant l'affolement de ses paupières la trahit.

Elle enchaîne : c'est moi qui ai choisi ce restaurant, j'espère que ça vous va. J'échange un bref regard avec Antoine. Je suis presque rassuré d'apprendre que Paul n'est pour rien dans cette décision. Du coup, je me demande si elle a agi par bienveillance (elle a cherché un lieu joyeux, où nous serions en compagnie de nos semblables) ou par ignorance (nous définit-elle par notre seule sexualité ?). À moins que ce soit sa façon à elle de nous signaler d'emblée : je n'ai rien oublié et je ne crains rien. À ce stade de la soirée, je préfère penser qu'elle n'y a mis aucune malice.

Alors que nous prenons place, je jette un coup d'œil rapide à l'assistance. Non loin de nous, une tablée de huit garçons, venus célébrer un événement quelconque, déjà enjoués, animés, ils ont autour de trente ans, certains sont en couple, ceux-là se tiennent la main sur la nappe, d'autres non, tous ont en commun une certaine insouciance et le goût de la fête, ils commencent leur soirée, on devine qu'ils la finiront ailleurs, sous les lumières stroboscopiques d'une boîte de nuit, par exemple, ou dans le vacarme d'un bar bondé. Je repère aussi deux hommes ayant largement dépassé la soixantaine et je me plais à imaginer qu'ils sont ensemble depuis longtemps, qu'ils ont connu tous les combats, ceux de la visibilité dans les années 70, ceux contre la maladie dans les années 80, pour la reconnaissance un peu plus tard et qu'ils sont heureux de se retrouver parmi leurs petits frères, fiers aussi d'avoir précisément mené ces luttes qui permettent à leurs congénères d'un soir de s'amuser. Quelques jeunes filles sont disséminées, semblant préférer la compagnie de ceux avec qui elles ne courent aucun risque. Enfin, quelques hétéros, dont l'indifférence ou la bienveillance sont une bénédiction.

Un serveur s'approche, demande si nous souhaitons prendre un verre, ou si nous attendons encore *quelqu'un*. Isabelle lance : on va commander du champagne, des retrouvailles, ça se fête ! Tout me gêne un peu dans sa proposition : le ton trop jovial qui entend produire de la familiarité alors qu'elle mériterait de se réinstaller progressivement, cette familiarité ; le choix du champagne qui trahit une inclination pour la mondanité en même temps qu'une nostalgie appuyée de la France ; l'usage du mot fête qu'on comprend inévitablement à rebours (c'est un pensum d'être là mais feignons d'être ravis). Je souris et je dis : quelle bonne idée. Antoine n'en perd pas une miette.

Tandis que le serveur s'éloigne, je ne peux m'empêcher de détailler à nouveau Isabelle, je vais jusqu'à formuler une remarque aimable sur sa tenue, et, ce faisant, ma première impression se confirme : elle n'a pas égaré son énergie, sa sociabilité mais elles ne sont plus les attributs d'une jeune femme pétillante, débordée, attachante, elles sont désormais les marqueurs d'une épouse établie, qui à l'évidence vit dans le confort et l'oisiveté.

Et puis, je sors de la mondanité.

J'y ai réfléchi dans le taxi. J'ai songé que nous ne pourrions pas nous comporter comme si notre jeunesse n'avait pas été ce qu'elle fut, et qu'il fallait poser le décor d'emblée, afin de ne pas porter notre embarras comme un fardeau, afin également de ne pas être encombrés par nos propres fantômes.

Je me lance : tout ceci est un peu bizarre, évidemment. D'abord, je ne m'attendais pas à revoir Paul. Ensuite, j'avoue que j'ai proposé ce dîner très spontanément. Et après coup, je me suis dit que j'avais peut-être gaffé, ou que c'était peut-être déplacé, compte tenu de… enfin, compte tenu du passé, quoi.

Je m'efforce de me ressaisir : ça m'a fait très plaisir quand j'ai su que tu étais d'accord.

Isabelle, consciente de ma gêne, et mesurant elle aussi ce que ce renouement impromptu après tant d'années d'un silence volontaire peut avoir de curieux, me coupe : *ça fait tellement longtemps.*

J'entends la lame de la guillotine qui tranche une tête.

Elle ajoute : il y a *prescription.*

La tête tranchée roule sur le pavé.

Juste après, elle répète : tellement longtemps…

Cette fois, elle y ajoute des points de suspension. Je les distingue nettement, ces points de suspension. Ils apportent une douceur bienvenue. Ils ont la texture de la nostalgie, d'une certaine mélancolie.

Elle se reprend dans la foulée : ceci dit, nous, on a eu de tes nouvelles pendant tout ce temps.

Je crois aussitôt qu'un tiers leur a parlé de moi et j'en suis légèrement décontenancé, traquant déjà pour moi-même l'identité de celui ou celle qui pourrait nous relier, mais en réalité elle évoque mes livres, exactement comme l'a fait Paul un peu plus tôt. Et la visibilité qui leur est associée.

Elle dit : j'avoue que ça nous a fait drôle, la première fois qu'on t'a vu à la télé.

Je ne tiens pas à savoir ce qu'elle met derrière cet adjectif : drôle, même si j'imagine ce que peut avoir de déconcertant le surgissement inattendu dans un poste de télévision de la version vieillie d'une « ancienne connaissance ». J'en profite pour reprendre la main, n'ayant pas tellement envie d'évoquer mes apparitions médiatiques : ça vous fait un avantage sur moi, moi je ne sais pas ce que votre vie a été pendant toutes ces années.

Et il est exact que je n'ai pas cherché à savoir ce qu'ils étaient devenus.

À l'époque, c'était facile. De ne pas savoir. Il n'y avait pas de téléphone portable. Il n'y avait pas Internet, pas les réseaux sociaux. Les gens pouvaient disparaître, ne pas laisser de traces. Il suffisait qu'ils changent de ville, d'adresse.

Bien sûr, il restait les amis communs pour nous tenir informés mais, en l'espèce, nous en avions très peu. Uniquement Philippe et Catherine. Et ils n'étaient même pas des amis, à peine des fréquentations lointaines, pour Isabelle. Et ils avaient compris mon désir de tourner la page.

J'avais seulement fini par apprendre (mais par qui ?) qu'ils avaient quitté Paris. Je n'avais pas voulu en savoir davantage. À ce moment-là, je ne souhaitais plus entendre parler de cette histoire qui, tout de même, m'avait laissé pas mal de regrets et de blessures. Et puis j'étais engagé dans une autre existence. Je découvrais Paris, j'avais des camarades, des collègues, des amants, je n'avais plus besoin de Paul. La distance s'était faite, naturellement. Il y avait peut-être aussi dans mon indifférence appuyée la volonté d'une revanche, d'une cruauté. Je m'étais détaché, je savourais ce détachement.

Aiguillonnée par ma remarque, Isabelle s'emploie aussitôt à corriger mon ignorance. Elle raconte qu'ils ont quitté la France dès la naissance de Vincent (oui, dit-elle, *on a un fils*), Paul a reçu une proposition d'une importante société de conseil à Londres (*le genre de proposition que tu ne refuses pas*), ils se sont installés là-bas, elle a cherché à travailler mais n'a rien trouvé et il fallait s'occuper de Vincent de toute façon, quelques années plus tard *sa boîte* lui a proposé de rejoindre la branche de New York, il a dit oui, ils ont emménagé à Manhattan, et finalement il y a de ça cinq ans il a intégré un très gros cabinet ici à Montréal comme *senior partner* (elle emploie le terme anglo-saxon), elle n'a jamais eu besoin de trouver un emploi finalement, elle est bénévole néanmoins dans une association qui vient en aide aux enfants malades, elle aime beaucoup la vie ici, même si les hivers sont longs *mais tu finis par t'habituer*, elle se dit qu'un jour sans doute ils iront ailleurs, *tu connais Paul toujours la bougeotte*, d'ailleurs il est sans arrêt entre deux avions, son cabinet a beaucoup de clients sur la côte Est, voilà tu sais l'essentiel, conclut-elle.

Je concède sans difficulté que je n'aurais pas été capable de deviner un tel parcours. Paul, je savais son intelligence, son ambition, j'aurais pu envisager qu'il gravisse des échelons mais franchement je ne l'aurais pas imaginé plongé dans l'univers si baroque des rachats d'entreprises, des deals à plusieurs millions, du conseil aux puissants, et je ne le voyais pas s'expatrier, il me semblait tellement français. Ainsi le petit garçon regardant les aigrettes s'envoler au-dessus du lac d'Hossegor, l'adolescent sauvage surfant sur les rouleaux atlantiques, le provincial rêvant de Paris, le jeune mari silencieux est devenu un consultant international de haut vol, interlocuteur de businessmen et de financiers. J'en conclus que décidément il demeure un mystère pour moi, que décidément il y a en lui beaucoup de choses qui m'ont échappé, que je n'ai pas comprises.

Ce que je retiens aussi, évidemment, du résumé fait par Isabelle, c'est l'existence d'un fils. Je veux dire : d'*un seul* fils. Dans mon souvenir, ils souhaitaient constituer une famille nombreuse.

Je dis : mais tu ne t'ennuies jamais ?

Parce que j'ai entendu l'oisiveté, l'inoccupation. Parce qu'un enfant, une activité caritative, ça ne remplit pas vingt années. Parce que je me rappelle comme elle était active, passionnée par son métier d'infirmière « des fous ».

Elle me rétorque aussitôt : non, jamais.

Et elle reparle de l'éducation de Vincent, de l'engagement associatif. Et j'ai la curieuse sensation d'entendre une rengaine, un discours bien huilé. D'entendre aussi un soliloque ayant pour unique objet de convaincre la personne qui le tient.

J'ai envie de dire : ce ne serait pas si grave de répondre oui, pas si grave de concéder un regret, pas si grave de s'assumer en *épouse qui n'a pas besoin de travailler*, aucune honte à cela mais je n'insiste pas. Sous la table, Antoine me donne un coup de pied afin que précisément je n'insiste pas.

Le serveur revient, portant les coupes de champagne, et les dépose devant nous.

Elle ajoute, pour couper court à mes sous-entendus : on vit bien à Montréal. Elle se fait plus précise : on habite sur le Plateau. De l'appartement, on a une vue imprenable sur le parc, et sur les pins, c'est Paul qui tenait aux pins, il dit que ça lui rappelle les Landes, tu ne peux pas t'empêcher d'être un peu nostalgique quand tu vis loin de chez toi, il lui arrive souvent d'aller se balader sur les sentiers, c'est son moment, sinon l'hiver de nos fenêtres on aperçoit des enfants qui font de la luge, l'été tous les week-ends c'est la fête, des gens viennent jouer du tambour, il y a plein de musiciens, d'artistes dans le coin et puis on vit entourés d'Italiens, d'Irlandais, c'est une ville métissée, tu sais.

Je retiens l'image de Paul contemplant la cime des pins et leur frissonnement sous le vent, de Paul marchant seul dans son îlot de verdure au milieu de la grande ville, de Paul dans son costume bourgeois tentant de saisir quelque chose de l'esprit bohème. Je songe qu'on n'efface pas ce qu'on a été.

Elle dit : toi, tu vis toujours à Paris ? (et je ne peux m'empêcher de discerner un léger dédain pour ma sédentarité, alors qu'il n'y figure peut-être pas).

J'acquiesce : oui, dans le quatorzième arrondissement, c'est comme un village, enfin c'est sans doute idiot de dire ça, tous les Parisiens prétendent que leur quartier est un village.

Elle plaisante : toi qui ne voulais pas y venir… à Paris…

Elle se rappelle et me rappelle ma réticence, ma peur de la capitale au sortir des études. Soudain, elle parle de quelqu'un qui n'est plus du tout moi.

Je souris : j'étais un petit provincial qui n'était jamais allé voir ailleurs, j'ai fait des progrès, je crois.

Elle me demande si je retourne quelquefois à Bordeaux. Je lui dis que ça m'arrive. J'ajoute : pour les livres, essentiellement ; quand je vais signer dans une librairie. Quelques semaines plus tôt, j'y ai même rencontré un jeune homme nommé Lucas Andrieu qui était le portrait de son père, un jeune homme qui, lui aussi, m'a ramené vers des amours anciennes comme si survenait un âge où on était immanquablement renvoyé à son passé mais je n'en parle pas, c'est incommunicable, même à Antoine je n'ai rien raconté de cette commotion, de cette déflagration, dont j'ignore qu'elle produira un livre dix ans plus tard. Je préfère m'en tenir à des considérations générales, je dis : la ville a beaucoup changé, beaucoup, elle est blonde maintenant, on s'y sent bien mais moi, je m'y sens étranger, ce n'est plus celle que j'ai connue, ce n'est plus mon histoire. Je m'entends prononcer ces mots : ce n'est plus mon histoire. Je veux dire que ce que j'ai vécu, ce que nous avons vécu a été englouti, a disparu sous les coups de pelleteuse, dans les grands travaux, qu'il n'en reste plus de trace, que les lieux ne peuvent plus en témoigner puisqu'ils ont été remodelés. Quelque chose s'est perdu, irrémédiablement, et c'est sans doute notre jeunesse.

C'est alors que je suis emporté dans cette pensée que Paul fait son entrée. Comme si j'étais aimanté, comme si n'existaient plus les murs de briques rouges, les hauts plafonds d'où tombent des suspensions diffusant une lumière tamisée, chaude, je tourne la tête vers la porte du restaurant précisément quand il s'y engouffre. Je le vois qui nous cherche du regard, sans nous repérer, s'adresse à la jeune femme de l'accueil pour connaître l'emplacement de notre table. Je le vois accomplir ces gestes simples, ordinaires, vus des dizaines de fois dans d'autres lieux, accomplis par d'autres gens, et je ne peux m'empêcher de leur trouver une certaine grâce. Oui, j'aime sa quête de notre présence, son incapacité à nous distinguer alors même que nous occupons une position presque centrale, son aveuglement, et puis cette façon de se pencher vers l'hôtesse, presque avec déférence, de la questionner pour finalement être accompagné par elle jusqu'à nous. Il y a, dans cet enchaînement, un mélange de prestance et de gaucherie ; de l'allure et de la fébrilité. Et ce mélange le résume plutôt bien.

Quand il parvient à notre hauteur, qu'il retire son caban pour le confier à l'hôtesse, je me souviens d'un autre caban, celui qu'il portait à l'île de Ré, cet hiver-là, celui qui apparaît sur la seule photo que j'ai de lui. C'est la même couleur, presque la même coupe. Je songe qu'il ne le portait pas quand il est venu à ma rencontre à la librairie plus tôt dans la journée, je m'en serais rendu compte. Je m'amuse de cette coïncidence car je présume que c'en est une, qu'il ne l'a pas fait exprès, qu'il ne peut pas se souvenir de la tenue qu'il portait il y a près de vingt ans. Je ne peux réprimer un sourire. Je me demande s'il le voit, ce sourire. Et ce qu'il en pense.

Il présente ses excuses pour son retard, raconte la même histoire de réunion inopinée, salue Antoine d'un serrement de mains très viril, puis s'assoit sans omettre de déposer un baiser furtif sur les lèvres de son épouse. Remarquant le champagne sur la table, il hèle le serveur pour qu'on lui apporte une coupe à lui aussi. Tout est en place.

(Ajoutons ceci : il affecte une décontraction que je trouve surjouée. Je n'ai pas oublié sa vulnérabilité, un peu plus tôt, à la librairie.)

Elle dit : on a commencé sans toi. Elle ajoute : tu n'as pas raté grand-chose, j'ai juste raconté notre vie depuis la dernière fois où on s'est vus.

Il éclate de rire : c'est pas *grand-chose*, les dix-huit dernières années de notre vie ? et ça se raconte en si peu de temps ?

Chacun se croit tenu de sourire en retour à ce trait d'esprit. Pourtant, impossible de ne pas en discerner la cruauté. Est-elle involontaire ? Ou pas ?

(J'ai retenu le chiffre. Dix-huit. Donc il a fait le compte.)

Je dis, avec une admiration sincère : en tout cas, je suis très impressionné.

Il me dévisage. S'il distingue la sincérité, il devine aussi que je ne le croyais pas capable d'un tel parcours. Du moins, que je n'avais pas prévu pareil destin. Son regard, soudain très ombrageux, trahit de l'orgueil et le sentiment d'une revanche, pourtant il s'oblige à faire assaut d'humilité : j'ai eu beaucoup de chance, j'ai fait les bonnes rencontres au bon moment, et puis en Amérique tu as plus d'opportunités.

Il dit : *en Amérique* et on perçoit l'immensité des terres, la variété des possibles, la puissance du rêve.

Cela étant, c'est énoncé comme un truisme, de sorte qu'on n'y croit pas vraiment. C'est énoncé pour qu'on soit convaincu du contraire. D'ailleurs, je le corrige : ça ne peut pas être que de la chance, c'est du talent, je n'ai jamais douté de ton talent.

Là encore, il faut entendre autre chose, qui serait : j'ai toujours su que tu avais du talent, j'ignorais simplement qu'il était de cette nature.

Et nous savons, lui et moi, à quoi nous en tenir.

Il enchaîne : moi aussi je suis très impressionné. Par ta carrière. Ceci dit, je ne suis pas surpris.

Comme je ne peux réprimer un froncement de sourcils, il s'explique : je savais que tu n'aurais pas une existence *ordinaire*, je me disais qu'*on entendrait parler de toi.*

Je ne ponctue pas, il serait facile pourtant de démontrer combien cette prophétie était aléatoire mais je présume que mon objection nous conduirait à l'inverse du but recherché.

Il précise : quand j'ai appris que tu étais devenu écrivain, ça m'a paru finalement logique, tu aimais tellement les livres.

Je suis tenté de lui signaler que l'amour de la littérature ne fabrique pas nécessairement un don – si c'en est un – pour l'écriture, cependant une nouvelle fois je m'abstiens.

Il conclut : d'ailleurs le jour où on s'est rencontrés, tu m'as emmené dans une librairie, tu ne t'en souviens sûrement pas.

Je pourrais lui dire : je n'ai rien oublié, pas une seconde, pas un événement, pas un regard, pas une étreinte, pas une parcelle de peau, pas un souffle, pas un aveu, pas un silence, pas un élan, pas une souffrance, je me souviens de tout, d'absolument tout, donc je me souviens de la librairie, bien sûr, et même de l'oblique du soleil sur les rayonnages mais je n'ai pas le droit de prononcer ces paroles, elles jetteraient un froid. J'ai donc le réflexe de mentir (réflexe courant, chez moi) : ah oui vraiment ? Tu as meilleure mémoire que moi. Il ne se laisse pas abuser par ce mensonge. Il sait, bien sûr, que je n'ai rien oublié. Il n'a balancé sa réplique que pour en obtenir la confirmation.

(Au passage, je suis bluffé qu'il ne lui ait fallu qu'une poignée de minutes pour évoquer notre rencontre. Il n'a pas peur. Au moins, il veut nous le faire croire.)

Il reste sur la question des livres, il dit : d'ailleurs, qu'est-ce qui a déclenché l'écriture ? Il ajoute : pardon, on doit te le demander tout le temps.

Je ne réponds pas : oui, on me le demande tout le temps. Je ne réponds pas davantage : quelle entame ! on aurait pu choisir un autre sujet de conversation. Je réponds : l'éloignement. Aussitôt, il marque l'étonnement.

Je m'explique : je parle d'éloignement parce que tout a commencé loin de la France, et aujourd'hui je sais que ça n'aurait pas pu se produire en France, et ça va peut-être te surprendre ou t'amuser, parce que c'est une jolie coïncidence, mais ça a commencé ici, oui ici même, à Montréal. C'était à la fin de l'été 99, j'avais un travail qui m'amenait à voyager beaucoup, à ce moment-là de ma vie, j'étais basé pour quelques mois à Toronto, un week-end j'ai décidé de faire un saut au Québec, et je me suis installé dans un café de la place Jacques-Cartier, d'accord ce n'est pas très original, tous les touristes font ça, mais moi à l'époque je ne le savais pas, et dans ce café, sur un carnet acheté pour l'occasion, j'ai tracé les premiers mots, *j'ai seize ans je suis né avec le siècle*, et c'est devenu les premiers mots du premier livre. Alors, bien sûr, ils ne sont pas arrivés par hasard ces mots-là, ils venaient de loin, ils venaient des lettres que j'envoyais à mes amis depuis des années, ils venaient d'autres lettres, celles que les poilus avaient adressées à leur famille restée loin du front pendant la Grande Guerre, des lettres qui m'avaient ému, bouleversé même, au point de me dire : un jour je raconterai l'histoire d'un de ces soldats, et il portera toute la guerre avec lui, il sera un homme qui parlera pour des millions d'hommes. J'avais lu Proust aussi, je me répétais : quelle vie quand même ! une vie si extravagante qu'elle ferait un parfait roman. Et j'ai eu l'idée d'associer ces deux visions, la guerre et Proust, ça a été comme une révélation, comme une clarté, j'ai inventé Vincent, l'adolescent qui dans le même mouvement, au début de l'été 1916, rencontre le soldat et l'écrivain, oui ça s'est imposé, j'ai su que c'est ça que je devais écrire, alors je m'y suis mis, là, dans le café de Montréal, je n'ai fait que ça, pendant des heures, écrire, dans le café de Montréal, et je suis revenu le lendemain et encore le jour d'après pour continuer. Et je me suis rendu compte tout de suite que ça n'aurait pas été possible s'il n'y avait pas eu la distance, le décalage horaire, j'étais loin de la France, je ne parlais plus à la France, j'étais comme *détaché du réel*, et c'est ça qui m'a rendu disponible pour l'écriture. Il y avait *la solitude* aussi, la solitude de la chambre d'hôtel dans un pays étranger, et la solitude d'après la séparation, parce que je venais d'être quitté, ça rend fécond, la solitude, et il faut la remplir sinon c'est elle qui nous engloutit. Donc voilà, je me suis lancé, ce matin-là de 99, ça a fait comme un éblouissement, et ça n'a plus jamais cessé depuis.

(Une précision : le récit est rigoureusement exact, je n'ai rien inventé, rien embelli, pourtant j'ai raconté souvent cet épisode, à force j'aurais pu en faire quelque chose de romanesque, ajouter des anecdotes, forcer dans l'emphase, comme on le fait parfois, mais non, et je demeure moi-même abasourdi de ce basculement, de sa soudaineté, de son intensité, et de la conscience immédiate que j'ai eue qu'il ne s'agissait pas seulement d'un basculement mais bel et bien d'une métamorphose.)

Isabelle intervient : et après, il s'est passé quoi ? quand le livre a été fini ? ça a été facile de le faire publier ? (Son pragmatisme est intact, sa curiosité aussi pour ce qui ne se voit pas.)

Je dis : d'abord, je n'ai pas envisagé la publication, personne ne me croit mais je jure que c'est vrai, j'ai rangé le manuscrit dans un tiroir, j'ai laissé passer les semaines, je devinais que ça changerait le cours de mon existence si j'étais publié, j'ai eu peur en fait, et c'est un ami, celui à qui j'écrivais les lettres, qui a dissipé cette peur, je lui avais parlé du texte, il a demandé à le lire, je savais que c'était un lecteur exigeant, et que son amitié n'excluait pas la franchise, il m'a assuré que c'était *bien*, que ça pourrait *intéresser des gens*, il m'a convaincu de le faire lire à des maisons d'édition, je lui ai obéi, j'ai envoyé le manuscrit par la Poste à des gens que je ne connaissais pas, des maisons presque choisies au hasard, à part Julliard parce que c'était celle de Françoise Sagan, sans lui peut-être que tout ça ne serait pas arrivé, après c'est allé vite, très vite, j'ai reçu des réponses, on m'a dit oui, à ce moment-là j'habitais à Buenos Aires, toujours pour le travail, je me souviens d'avoir reçu un contrat par fax dans mon hôtel, à l'époque on utilisait encore des fax, j'ai dit oui à mon tour, c'était assez curieux, à la fois très concret parce qu'il y avait un manuscrit, parce que j'avais signé un contrat et complètement irréel parce qu'il n'y avait pas de livre et que j'étais à onze mille kilomètres de chez moi, et il s'est écoulé plusieurs mois, le temps de la fabrication, dans cet intervalle je suis rentré à Paris, j'ai envisagé de quitter mon travail, je me suis contenté de démissionner pour aller voir ailleurs, pour m'occuper l'esprit avec quelque chose de neuf, comme si je ne voulais pas que le livre accapare tout l'espace mental, et quelques jours avant Noël j'ai reçu de mon éditeur un exemplaire, il venait juste de sortir de l'imprimerie, je l'ai tenu entre mes mains, à nouveau ça m'a paru très concret et très irréel, le 25 décembre je l'ai remis à mes parents, en leur annonçant que je leur faisais un cadeau plutôt inattendu, je ne leur avais rien dit jusque-là, je n'avais pas osé, je me rappelle leur stupéfaction, ma mère était décontenancée, elle ne savait pas ce que c'était, cet objet, elle a cru à une plaisanterie, mon père lui a compris tout de suite, et il a pensé qu'une calamité s'abattait sur nous, je devenais un saltimbanque, moi qui avais un métier sérieux et bien payé, et notre famille allait être scrutée, il a dû imaginer que je n'avais pas pu m'empêcher de raconter des choses intimes, comme le font souvent ceux qui publient un premier livre, il avait oublié que j'étais ce garçon qui inventait des histoires, qui se complaisait dans le mensonge, et puis le livre est sorti, on l'a mis sur les tables des librairies, et plus rien n'a été pareil.

Paul reprend la parole : ça veut dire quoi, plus rien n'a été pareil ?

Je dis : j'ai compris que je ne pourrais plus continuer comme avant, que c'était fini, avoir un contrat de travail des horaires aller au bureau, les responsabilités, que ça avait volé en éclats, qu'il faudrait laisser toute la place à l'écriture, toute la place, quoi qu'il en coûte, les gens m'expliquaient que j'étais fou, que je ne devais pas renoncer à la sécurité, que c'était aléatoire l'écriture, que c'était illusoire la reconnaissance, et je savais qu'ils avaient raison, leurs arguments je ne les contestais pas, mais c'était plus fort que moi, il fallait que je le fasse, que j'abandonne la vie d'avant, que je l'abandonne complètement, que je m'en débarrasse, pour qu'il ne reste plus que ça : être seul avec le texte à écrire, cette folie, cet emportement et c'est ce que j'ai fini par faire quelques mois après. Ce n'est pas du courage, pas du tout, ç'aurait été du courage si j'avais eu le choix.

Dans le regard de Paul, à cet instant précis, je veux discerner un regret, celui de ne pas avoir exercé pareille liberté (ou succombé à pareille folie), de ne pas avoir pris le risque d'une autre trajectoire. Je suppose qu'il n'y est pas, ce regret, au moins qu'il ne se manifeste pas, mais ça me plairait qu'il ait surgi, malgré tout, malgré lui.

C'est lui, Paul, qui reprend la parole après quelques instants de silence : ce qui est frappant, dit-il c'est que, dès le premier livre, *tout est là*.

Je lui fais signe que je ne saisis pas le sens de sa remarque. D'ailleurs, personne autour de la table ne semble le saisir.

Il précise sa pensée : tout ce que tu es, tout ce que tu portes, c'est là, dès ce livre-là, comme s'il fallait que ça sorte, c'est comme une carte d'identité.

Je proteste : mais non, je ne suis pas dans le premier livre, il s'agit d'un roman, d'un pur roman.

Il me contre : tu te moques de nous ? quasiment toutes tes obsessions y sont.

Je dis : mes obsessions ? (Je suis réellement abasourdi qu'il emploie ce mot, qu'il ose l'employer, parce qu'il est impudique, parce qu'on ne jette pas ça au visage des gens, et parce qu'il signifierait qu'il possède une connaissance absolue de moi, et que tout se serait figé au point que dix-huit années n'y auraient rien changé.)

Il se lance malgré tout : le goût pour la jeunesse et le regret de la jeunesse, et puis les élans, les élans qu'on ne sait pas réfréner, les liens qui se nouent et qui se dénouent, les menaces qui pèsent, la mort qui rôde, les deuils à accomplir, enfin tu sais bien, tout ça, tout ça qui apparaîtra encore plus dans ce qui s'est écrit après.

Je suis troublé par son énumération, par l'analyse qu'elle exige, par la science intime qu'elle suppose. Isabelle, elle-même, est désarçonnée : elle n'avait, à l'évidence, pas imaginé son taiseux mari occupé à une telle dissection de mes thématiques, et, au fond, de mes sentiments.

Antoine sourit dans son coin. Le déballage a commencé et il s'en réjouit. Il décide alors de rajouter son grain de sel, ou plutôt de jeter du sel sur les plaies en train de s'ouvrir : tu oublies le triangle, le triangle amoureux, quand même c'est partout, ce truc-là, chez Philippe, non ?

Isabelle dévie aussitôt la trajectoire de la balle : on est très mal élevés, on parle on parle et on ne sait rien d'Antoine.

Commodément, les époux se tournent vers le jeune homme. Moi, je reste fixé sur Paul. D'abord parce que je suis encore interloqué. Ensuite parce que je tiens à savoir comment il regarde Antoine. Je connais toutes les nuances de son regard et ça ne change pas, un regard. La peau se flétrit, le corps s'alourdit, la chevelure se clairsème mais le regard, lui, demeure intact. J'y discerne d'abord de la perplexité. Qui est ce petit garçon invité à la table des grands ? semble-t-il se dire. Est-ce vraiment sa place ? Lui-même ne se sent-il pas mal à l'aise au milieu de gens qui partagent une histoire à laquelle il n'appartient pas ? une histoire qui s'est produite alors qu'il était à peine né ? Paul le détaille comme une pièce rapportée, une incongruité. Sans doute éprouve-t-il un peu de dédain ou de commisération. L'écart est si grand. Toutes ces années qui nous séparent ouvrent un gouffre où l'enfant pourrait finir englouti. Mais non, en fait, il s'agit plutôt d'une curiosité. Si Philippe l'a choisi, s'il a choisi Philippe, c'est sans doute qu'il y a *quelque chose*. Alors il a envie de savoir quoi. Il songe : ça ne peut pas être seulement *à cause de la beauté*. Il songe : le petit, de son côté, n'est peut-être pas intéressé par le talent ou la notoriété de son aîné ; il est peut-être allé vers lui pour d'autres raisons. C'est comme une énigme qu'il lui faut résoudre. Enfin, il y a du désir. Oui, du désir. Au moins une attirance indissimulable. Une attirance pour les yeux bleus, le teint clair, immaculé, le sourire franc, les épaules rondes. Une attirance venue des âges.

Antoine résume, avec un parfait naturel, son parcours, sa situation. Il raconte l'enfance africaine, l'adolescence parisienne, les études qu'il suit en dilettante. Il dit notre rencontre dans un train, l'histoire qui commence peu de temps après, sans se poser de questions, sans rien se promettre, juste l'envie d'être ensemble. Il n'y met aucune fioriture. Il ne cherche pas à plaire ni à embellir la réalité. Il énonce simplement, et cette seule simplicité signe sa victoire : lui ne joue pas un rôle, lui n'est pas dans les sous-entendus, les non-dits, les souvenirs tus, il n'est pas dans la mondanité, dans la théâtralité, il ne cache pas de cadavre dans ses placards, il peut jouer franc jeu, et nous renvoie, en quelques répliques, à nos ambiguïtés.

Probablement désarmée par cette frugalité qui va à l'essentiel, et que j'aime plus que tout chez lui, Isabelle lance la conversation sur

Vincent, son fils. Et je ne peux m'empêcher de considérer qu'elle effectue un rapprochement entre les deux garçons, que la proximité des âges l'y a conduite. Comprend-elle ce que ce rapprochement a de maladroit ou cherche-t-elle précisément à me dire que, lorsqu'on a passé quarante ans, les gamins de vingt ans devraient être des fils plutôt que des amants ? Paul paraît embarrassé par ce parallèle : il me jette un regard de naufragé. Je lui souris en retour pour lui faire comprendre que je suis habitué, qu'on me renvoie régulièrement à la différence d'âge. Parfois une œillade suffit pour que je saisisse la stupéfaction, la suspicion, le dédain. Et chaque fois j'offre la même réaction : assumer, assumer fièrement. Même si, au fond de moi, je sais que je m'accroche à la jeunesse comme à une bouée de sauvetage et même si je ne me leurre pas sur la durée de semblables attachements.

J'apprends que Vincent joue au base-ball et qu'il a l'ambition de rejoindre une université américaine à la rentrée prochaine (il est bilingue, la France ce n'est presque pas son pays tu sais, ajoute la mère). Tandis qu'elle raconte, je fais un rapide calcul dans ma tête. Vincent a dix-sept ans. Il est donc né en 1990. Paul et moi nous sommes séparés en septembre 1989. Je me rends compte qu'il n'a pas perdu de temps, qu'ils n'ont pas perdu de temps. Que peut-être il a fallu d'urgence donner des preuves d'amour. Ou établir les bases d'un mariage solide (et quoi de mieux qu'une progéniture ?). Mais j'ai mauvais esprit : le hasard est sans doute seul responsable.

(Sauf que je ne crois pas au hasard. Pas à celui-ci, en tout cas.)

J'apprends aussi que Vincent flirte depuis quelques mois avec une jolie Québécoise (on l'a rencontrée, elle est charmante, précise la mère, façon d'expliquer que son garçon n'a pas d'inclinations déviantes, je présume). Pour finir, elle sort de son sac un agenda épais et en extrait une photo : je découvre un adolescent superbe, blond, aux yeux clairs, il a tout pris de sa mère. Je dis : il est très beau. Et mon jugement provoque aussitôt chez Isabelle un (nouveau) clignement affolé des paupières. Ma remarque, évidemment, n'était pas tout à fait innocente.

Paul juge utile de ne pas s'appesantir : il me demande si j'ai des nouvelles des « anciens du DESS ». J'imagine que l'évocation de ces vies d'étudiants a provoqué son interrogation. J'imagine aussi que les retrouvailles nous obligent presque machinalement à replonger dans notre passé, cependant j'ignore si sa question relève de la pure diversion ou d'une envie de nous rapprocher de ce que nous fûmes.

J'explique que je suis toujours ami avec Philippe, qu'il n'a d'ailleurs jamais dévié de sa vocation première, le droit social. Je précise que je n'ai de contacts avec personne d'autre (les chemins se sont séparés, ce sont des choses qui arrivent, c'est d'ailleurs ce qui arrive le plus souvent ; au demeurant, je m'exprime avec une sorte de fatalisme). Et j'ajoute : je ne sais même pas ce qu'est devenu D. (cette fois, dans le ton que j'emploie, s'insinue une légère perversité). Aussitôt, l'expression dans le visage de Paul change, malgré ses efforts. Isabelle intervient : c'est qui, ce D., déjà ? Je pourrais lui répondre : celui qui nous accompagnait lors de notre séjour dans l'île de Ré, celui qui se tenait assis à la table du petit déjeuner lorsque nous sortions de notre chambre au petit matin, encore pleins de la sueur et du sperme de l'autre, celui qui a pris la seule photo de nous deux qui existe. Je m'entends répondre : tu ne l'as jamais rencontré, je crois.

Paul préfère enchaîner, avec un peu de précipitation : j'ai appris que V. était mort. J'en suis stupéfait. V. était de toutes nos virées dans les cafés de Bordeaux, quand, après les cours, on se déplaçait en bande et qu'on buvait pour le seul plaisir d'être ensemble ou pour s'étourdir. C'était un fils de militaires, pas pressé d'entrer dans la vie active. Un jeune homme aux cheveux noirs, aux yeux verts, on était forcément frappé par le vert de ses yeux, celui de l'émeraude, il vous happait, ce vert, et il se trouvait toujours quelqu'un, une fille, un inconnu pour lui en faire la remarque. Un accident de voiture en Italie, une sortie de route dans la banlieue de Milan. Il n'avait pas trente ans. Les circonstances ne font qu'ajouter à l'accablement : sa disparition fabrique mécaniquement (oui, c'est un réflexe chez moi, vraiment) l'image mentale de ceux parmi mes amis qui ont tiré leur révérence, prématurément, alors qu'ils auraient dû vivre, alors qu'on aurait tant aimé qu'ils vivent. Je pense à ceux qui ne sont pas allés plus loin.

Comme s'il avait emprunté le cheminement de ma pensée et comme s'il se rendait compte à retardement de la nature de l'annonce qu'il a faite, Paul s'excuse : pardon, j'ai été brutal. Je le coupe : non, c'est pire encore quand on hésite, la mort il faut l'annoncer sans détour, de toute façon la vraie douleur ce n'est pas d'apprendre des disparitions, c'est d'y survivre.

Je m'en veux aussitôt d'avoir prononcé une phrase aussi mélodramatique mais trop tard, le coup est parti.

Les visages s'assombrissent. Le mutisme s'empare de chacun de nous. Je crois qu'Isabelle se détourne vers la table la plus proche. Comme si elle ne pouvait pas faire autrement. Ou comme si elle prenait ses distances.

Paul finit par murmurer, les yeux à demi baissés : un jour, dans une interview, je me souviens, ça m'a frappé, tu as dit que tu étais *le survivant d'une hécatombe*.

Je le fixe en retour, l'obligeant à relever la tête et confirme : oui, c'est beaucoup tombé autour de moi, beaucoup, les années 90 ont été un carnage, certains jours je nous revois comme une colonne de soldats, très jeunes, très purs, sur un champ de bataille, partant à l'assaut et, de la colline en face, l'ennemi tirait à balles réelles et les garçons perdaient l'équilibre les uns après les autres, s'affaissaient, leur carcasse rejoignait la terre, la boue ; quand tu t'en sors indemne à la fin tu es heureux d'être vivant mais tu te demandes pourquoi toi et pas eux, et surtout tu n'en finis pas de penser à ceux qui ne se sont pas relevés, ça te hante.

À l'évidence, Paul songe qu'il n'aura pas eu à affronter ce malheur. Que le choix fait dans sa jeunesse le lui aura épargné, peut-être.

J'ajoute : et quand, en plus, tu mesures le temps écoulé depuis qu'ils sont tombés, les années accumulées, et tout ce qu'elles ont charrié ou façonné, les rencontres, les amours, les amitiés, les voyages accomplis, les distances parcourues, les livres écrits, les livres lus, la marche du monde, les catastrophes, c'est pire encore, ça les renvoie dans un brouillard, un lointain, un néant, ça les rend presque inconsistants, et tu dois lutter contre cette assignation, qui serait une deuxième mort.

Le silence se fait à nouveau. Il a le poids de la pierre.

Je lance alors, dans un demi-sourire : bon, j'ai l'impression que j'ai plombé l'ambiance, il n'y a qu'à voir vos têtes, et ça ne nous va pas d'être accablés, d'ailleurs ça ne va à personne, on ferait bien mieux de parler de trucs idiots et doux.

Les sourires reviennent aussitôt sur les visages, d'abord forcés, imprécis, et puis plus francs. J'observe aussi le soulagement dans le relâchement des épaules, la décontraction des corps. Peut-être pouvons-nous désormais nous débarrasser de nos masques.

Résolu à ramener de la légèreté, je dis : faites-nous rêver, parlez-nous de Londres, de New York.

Isabelle et Paul se consultent du coin de l'œil, peut-être dans l'intention de déterminer celui qui répondra en premier, peut-être pour évaluer ce qui peut être raconté, ce qui doit être tu. Et, dans ce regard échangé, je vois nettement la vie partagée depuis si longtemps, une chose solide, compacte, un bloc de certitude, je vois la connaissance parfaite de l'autre, l'intimité indépassable. Et cela me renvoie à tout ce que je n'ai pas eu, par choix, par obligation, ou par hasard ; mon existence n'est que du sable, et le jeune homme à mes côtés, même si je l'aime tendrement, est encore un étranger et le demeurera sans doute.

(Cela me renvoie aussi, bien sûr, à tout ce qui, d'une certaine manière, a provoqué mon exclusion presque vingt ans plus tôt.)

Paul dit : c'était bien.

J'admire la simplicité de cette expression. Comment mieux formuler qu'on a été heureux, paisibles, que le fleuve a coulé tranquillement ? *C'était bien.* Moi, assurément, je n'emploierais pas une expression pareille, je dirais : ça a été tourmenté, accidenté, exaltant, épuisant, frustrant, douloureux, joyeux, j'emploierais le passé composé qui désigne des moments, délimite des périodes, identifie des états. Pas cet imparfait qui induit la durée, une durée sans gouffres ni sommets, qui montre une route droite, rassurante.

Car j'aurais imaginé, accolée à Londres et New York, de la trépidation. Je sais que, dans ces villes-monde, le cœur bat plus vite, le corps est en perpétuel mouvement, l'esprit est sollicité en permanence. Au lieu de ça, *c'était bien.* Comme si le dehors n'avait pas de prise réelle, comme s'ils avaient trouvé, en leur sein, leur propre harmonie. Je pourrais en être jaloux. Je le serais si j'avais du goût pour la quiétude. Ce n'est pas le cas.

Il précise : j'avais un job intéressant, Isabelle avait du temps pour elle et pour Vincent.

Et moi, j'entends : *là ou ailleurs.*

Oui, on jurerait que la géographie a compté pour rien quand elle est déterminante dans mon existence, que les lieux n'ont pas eu de prise quand ils me façonnent. Je n'ai pas oublié mon éblouissement devant Florence, mon effroi à Shanghai, ma langueur dans les rues de Lisbonne, mon épuisement à La Havane, la sensation d'être enfin chez moi dès mon arrivée à Los Angeles. Pas oublié les statues de marbre dans les jardins, la foule grouillante et la brume sale, les pavés luisants, un bord de mer et un parapet contre lequel venaient cogner des vagues, les palmiers gigantesques et le bleu, le bleu partout. Je peux en parler des heures. Les images sont indélébiles, les sensations intactes. Je sais les commotions, et les traces qu'elles ont laissées. J'ai écrit des livres qui racontent cela. Il me semble même que les livres, parfois, sont nés de cela, un endroit, le souvenir d'un endroit.

Eux, non. Eux n'ont pas besoin du monde extérieur. J'ignore si cette autosuffisance me fascine ou me désole.

Antoine esquisse un sourire qui paraît signifier : eh oui, mon vieux, tout le monde ne te ressemble pas. Ou peut-être : eh oui, on est forcément déçu par les gens qu'on a aimés.

Je ne suis pas déçu, en réalité. Intrigué, c'est certain. Décontenancé, oui. Sauvé de la déception par une certaine répugnance à juger, probablement. Et par ma réticence à entrer dans le jeu mortifère des espoirs, des désillusions et des regrets.

(Mais pour combien de temps ?)

Comme s'il percevait mon trouble, Paul ajoute : on devinait qu'on ne resterait pas longtemps dans ces villes-là, je savais que mon métier m'emmènerait un peu partout, on ne s'est jamais vraiment installés.

En somme, sa carrière a primé, et, pour les moments d'oisiveté, leur existence à trois leur convenait, le reste n'était que circonstances.

Il conclut : Montréal, en revanche, ça ressemble davantage à un point d'ancrage même si je continue de voyager beaucoup pour mon travail.

J'entends ce mot, ancrage, cette idée d'un repère, d'une fixité. Je visualise en contrepoint l'homme d'affaires, toujours entre deux avions ; le mouvement, une certaine volatilité. Je présume que le tout forme un équilibre. Je me rappelle que cette recherche d'équilibre est matricielle chez lui, elle était déjà là dès le plus jeune âge, elle était là quand l'enfant marchait sur les rochers, les deux bras à l'horizontale, quand l'adolescent trouvait sa position sur la planche de surf, dans le rond de la vague, quand le jeune homme double passait de l'épouse à l'amant et vice-versa. Il y a des traits de caractère (ou des obsessions, pour reprendre un terme que Paul lui-même a employé) que les années n'entament pas.

Une serveuse s'approche de notre table et nous demande si nous sommes prêts à commander. Chacun de nous jette un coup d'œil rapide à la carte et annonce son choix. Je m'amuse à constater qu'Antoine et Paul ont commandé la même chose (un burger frites) et qu'Isabelle et moi avons opté pour la même salade. Pour un type comme moi, convaincu que l'essentiel gît dans les détails et les gestes ordinaires, c'est presque trop signifiant.

Après cet intermède, Isabelle enchaîne : on parlait de quoi ? ah oui, Montréal. Elle dit : tu sais qu'on vient juste d'avoir des élections ? C'est encore le Parti libéral du Québec qui a gagné. Du coup, on garde le même Premier ministre, même s'il est obligé de constituer un gouvernement minoritaire.

Je comprends qu'elle a envie d'en revenir à des généralités, au commentaire de l'actualité tel qu'il se pratique dans les dîners, au babil indistinct qui fait passer le temps. Elle en profite pour rendre tangible le fameux ancrage que Paul a évoqué, pour dire : notre vie est ici désormais, loin du reste du monde, bien à l'abri. D'ailleurs, elle enfonce le clou, avec une fausse ingénuité : mais vous aussi, vous avez des élections bientôt… Manière de signifier qu'elle ne se sent pas concernée par ce qui se passe en France (*vous aussi…*). Elle ajoute : j'ai vu que tu avais pris position pour Ségolène Royal (on ne remerciera jamais assez les notices Wikipédia qui permettent d'avoir l'air informé). J'acquiesce, sans entrer dans le détail. Non parce que je serais embarrassé mais parce que le débat politique est si hystérisé en France à ce moment-là qu'il est assez agréable de s'en distancier, ne serait-ce que quelques heures.

Paul aperçoit ma réticence et reprend la parole pour refermer cette étrange parenthèse électorale : tes voyages à toi, les endroits où tu es allé, on les voit dans tes livres.

Il tient à en revenir aux livres. Décidément, il les a lus avec attention. (À l'évidence, il s'est demandé quelle réalité recouvraient mes fictions. Il est convaincu qu'un écrivain ne peut pas faire abstraction de sa vérité intime, quand bien même il invente des histoires. Alors il l'a traquée, cette vérité intime. Il l'a traquée, en connaisseur. Il a observé ce que devenait le jeune homme maladroit, amoureux que j'avais été jadis.) Je m'emploie à démentir ses hypothèses : tu sais, il faut se méfier, j'ai écrit sur des lieux où je n'ai jamais mis les pieds, *Les Jours fragiles*, mon hommage à Rimbaud, je l'ai écrit sans avoir foulé la terre des Ardennes, *Un instant d'abandon*, je l'ai écrit sans rien connaître de la Cornouaille britannique. Il laisse s'écouler quelques secondes et choisit de me crucifier : et *Son frère*, tu vas m'expliquer que tu l'as écrit sans rien connaître de l'île de Ré ni des maladies du sang ?

Je me doutais que nous aurions cette conversation, que nous ne pourrions pas y couper. Tout simplement parce que Paul figure parmi les très rares personnes qui *savent* que, dans *Son frère*, je n'ai pas inventé grand-chose, que je me suis contenté de transposer, de déplacer, que j'ai saupoudré un peu de suspense et proposé une issue tragique mais que l'essentiel est véridique. Il sait que je me suis avant tout livré à un exercice de mémoire.

Je n'esquive pas la discussion et lui lance, sous forme de plaisanterie : ça t'a traversé l'esprit de me dénoncer, en tout cas de dénoncer mon imposture ?

Après tout, à l'époque, il aurait pu venir dire à la cantonade : cet homme vous ment de manière éhontée quand il prétend que tout a jailli de son imagination !

Du reste, je m'étais demandé s'il sortirait du bois, s'il me ferait un signe, s'il m'enverrait un court message qui signifierait : à d'autres mais pas à moi. Mais il s'en était tenu au silence. Et le livre avait continué son chemin, comme si de rien n'était.

À ma boutade, il répond d'une manière curieusement primaire : on ne se fréquentait plus à ce moment-là. Avant d'ajouter : mais j'avoue que ça m'a frustré de ne pas pouvoir dire que *moi, je savais.*

Il poursuit : je connaissais l'envers du décor mais je n'avais personne à qui en parler, je me suis senti très seul, comme si tu étais à la fois très proche et complètement inaccessible.

J'ai envie de lui dire : c'est une situation qui m'est familière. À la place, je botte en touche : au moins, tu as pu en parler avec Isabelle (dans mon esprit, il s'agit d'une affirmation, non d'une interrogation).

Elle me coupe : je n'ai pas lu le livre.

Je masque mal ma surprise mais me garde bien de la formuler.

Elle s'explique : il ne faut pas m'en vouloir, je ne lis que des polars.

Je balbutie : je ne t'en veux pas le moins du monde.

En réalité, je suis stupéfait d'apprendre qu'elle n'a pas lu mes livres. Non pas parce qu'il faudrait les avoir lus, pas du tout, je ne place pas mon ego à cet endroit, du reste je vis avec quelqu'un qui ne lit pas forcément tout ce que j'écris ; mais parce que son mari avait l'air de s'y intéresser sacrément ou même par simple curiosité, parce qu'ils étaient là, à portée de main. J'en déduis qu'elle a fait le choix de ne pas les lire, qu'elle a refusé de les lire. Se doutant qu'elle y trouverait immanquablement les traces d'un passé qu'elle a cherché à occulter. Et obligeant son mari à ne pas lui en parler, à se taire.

Et lui, je l'imagine dans la solitude du livre lu, du livre qui ne peut pas être partagé une fois refermé, des souvenirs ressurgis et condamnés à demeurer en suspens, des hypothèses formulées mais jamais vérifiées.

Ne sachant comment me débrouiller avec cette information, je préfère répondre à la question originelle de Paul : oui, évidemment, on écrit avec ce qu'on a vécu, ce qui nous a traversé, ce serait impossible de faire autrement, impossible, quel écrivain pourrait faire abstraction de ce qu'il est, de ce qui l'a construit, mais avec ce matériau, il faut s'efforcer de faire de la littérature ; la vie ça ne fait pas un livre, jamais, la vie réécrite ça peut en faire un.

Il paraît réfléchir et dit : je comprends… je crois… et alors je suppose que tu y es arrivé parce que j'ai tout reconnu et à la fois j'ai lu comme si je découvrais tout, j'ai vu les cailloux blancs et pourtant je me suis perdu sur la route, et j'ai presque fini par oublier qu'il s'agissait de toi, j'ai même eu de la peine pour ce frère imaginaire.

Le silence se fait. Les regards sont enchâssés.

Il ajoute : *n'empêche*, c'est un livre qui m'a fait du mal.

Je m'étonne : du mal ? pourquoi ?

Il dit : parce que *j'ai compris que j'étais passé à côté des choses, que j'avais été aveugle et sourd.*

L'aveu provoque une déflagration étouffée. Cela ressemble si peu à Paul de livrer une pensée personnelle, un sentiment. Cela lui ressemble également assez peu de concéder un regret. Et qu'il le fasse, dans cette configuration, quand on a en tête le poids du passé entre nous, est presque provocant.

Du reste, la stupeur dans le regard d'Isabelle est immanquable, sa dignité (ou son peu de goût pour l'esclandre) ne suffit pas à la dissimuler.

Antoine lui-même ne peut s'empêcher de se tortiller sur son siège. Embarrassé, probablement, par la résurgence d'une histoire qui, n'étant pas la sienne, le rejette, le met à l'écart.

Quant à moi, je suis tout à la fois pris de court, pris en tenaille et sommé de dire quelque chose. Car l'aveu exige inévitablement une réplique. Du reste, le mot réplique est bien choisi, on l'emploie pour les tremblements de terre.

Je commence par m'essayer à l'ironie : les romanciers sont des irresponsables, c'est bien connu, ils n'ont aucune idée de ce que leurs livres vont provoquer, ou s'ils sont capables de l'envisager ils s'en fichent, ils sont comme des enfants qui jouent avec des allumettes.

Avant de m'apercevoir que l'ironie tombe à plat.

(Et, à bien y réfléchir, je n'étais pas si moqueur : non, les romanciers ne pensent pas aux conséquences de ce qu'ils écrivent, encore heureux, ils ne doivent pas avoir conscience du danger, ils ne doivent pas se soumettre à la prudence, s'ils le font, ça donne des livres sans aspérités, sans risques, des livres pour ne pas déplaire.)

Je bifurque : surtout, il ne faut pas prendre les livres au pied de la lettre, on en rajoute pour émouvoir ; la réalité est toujours en deçà, elle est décevante, c'est pour ça que ce n'est pas elle qu'on raconte.

Là encore, je mesure à l'absence de réaction ma difficulté à convaincre.

Je comprends dès lors que je ne peux plus biaiser, qu'il faut répondre à la culpabilité que Paul semble exprimer. Je dis : tu étais loin, tu ne pouvais pas savoir…

Il me coupe : je n'étais pas loin, on se parlait au téléphone, quand on se parle on n'est pas loin, quand on se parlait, nous deux, on était proches, j'ai le souvenir de cette proximité, et toi aussi j'en suis sûr.

Je suis décidément troublé par cette convocation de notre intimité d'alors. Et par l'audace que l'homme assis face à moi manifeste. Je choisis de ne pas l'affronter, de continuer à lui chercher des excuses : tu étais engagé dans une autre vie, tu avais d'autres préoccupations.

Il me dévisage : c'est une pauvre excuse, non ?

Cette fois, c'est moi qui le coupe : de toute façon, il y a prescription (je me rends compte que je reprends le terme employé par Isabelle, un peu plus tôt, avant que Paul ne débarque, ce fameux mot couperet).

Il poursuit comme si je n'avais rien dit : en fait, je crois que je n'ai pas voulu voir, ça devait m'arranger.

Je songe à tout ce qu'il conviendrait de faire remonter à la surface si nous voulions, là, maintenant, traiter cette question. Je songe aux dégâts que cette exploration ne manquerait pas de provoquer. Je me demande comment Paul, que j'ai connu si maître de lui-même, peut ne serait-ce que voisiner avec un tel risque. Qu'est-ce qui le guide ? L'inconscience ou le désir que tout soit posé sur la table, enfin ?

Il ne nous laisse pas le temps de connaître la réponse à cette interrogation, il plante un dernier clou : quand j'ai lu le livre, j'ai eu l'impression que tu me reprochais ça, indirectement, une certaine façon de détourner le regard.

J'en profite pour reprendre la main : on ne parle à personne quand on écrit, je veux dire : à personne en particulier, on n'envoie pas de message, on ne donne pas la leçon, c'est très loin de l'acte d'écrire, vraiment je ne te reproche rien.

Il conclut (pour faire retomber la tempête qu'il a soulevée sous nos crânes ?) : bien sûr qu'il y a prescription mais c'est important pour moi de t'expliquer ce que j'ai ressenti.

Isabelle soupire.

Après coup, je repenserai à cette première salve dans le dîner. Je formulerai plusieurs hypothèses pour l'expliquer.

Il ne s'est pas rendu compte, il y avait la lumière tamisée, les verres de vin, le brouhaha du restaurant, l'étrangeté des retrouvailles, c'était un moment hors-sol, la perception s'était modifiée, déformée. La conversation a simplement dévié, dérapé : on parlait de livres, de vérité et de fiction, et d'un coup, elle a pris un autre tour, on a été entraînés, on ne l'a pas véritablement décidé, on pouvait plaider l'accident.

Ou encore les choses avaient été contenues trop longtemps, il fallait qu'elles soient expulsées, c'était au-delà de son propre contrôle.

Ou il souhaitait affirmer qu'il n'avait pas peur d'affronter le passé, qu'il se sentait même assez fort pour l'affronter, qu'il n'y avait pas de sujet tabou, on était des adultes.

Ou peut-être posait-il un acte, un jalon : c'en était fini de ce non-dit bien commode, ce serait autrement désormais.

Après ce vif échange, en tout cas, Isabelle choisit de renvoyer la balle en amorti : et d'ailleurs, comment tu vas aujourd'hui ? Je comprends qu'elle me demande des nouvelles de ma santé. Bien joué. On s'extrait du passé, de la gangue du passé, on en revient à la situation actuelle ; on met fin au duo entre les anciens amants, on donne la parole à un seul ; on sort de la zone sensible, on va sur un terrain consensuel. Je dis : très bien, je fais encore des check-up réguliers et les résultats sont normaux.

Je n'entre pas dans le détail. Je n'évoque pas les rendez-vous dans le petit matin au laboratoire d'analyses, l'attente sur une chaise inconfortable, l'odeur d'éther, mon nom prononcé à la cantonade, la petite pièce sans fenêtre, le visage doux d'infirmières interchangeables, les gestes précis immuables, le coton imbibé qu'on frotte à la saignée du coude, le garrot, la piqûre, les prélèvements tous les mois d'abord, puis tous les trimestres, pendant des années, les vingt-quatre heures à patienter avant d'obtenir les résultats, et la peur à chaque fois, la peur que ce soit revenu, la peur que ça recommence.

J'ajoute : ce n'est qu'un mauvais souvenir. Je prononce cette phrase machinalement, elle fait partie de ces expressions toutes faites qu'on emploie sans réfléchir. Cependant, au moment où je l'entends, où le son me parvient, je perçois qu'elle pourrait être mal interprétée. Qu'elle pourrait signifier : toute cette période de mon existence (et pas seulement la maladie) est un mauvais souvenir. Ce qui n'est nullement le cas. J'ai écrit un livre sur ce sujet et longtemps le titre de travail en a été : « La plus belle année de ma vie ». J'ai envisagé aussi « Beau malheur ». Façon de dire que le compagnonnage avec le danger n'avait pas empêché le bonheur. Sans doute même lui avait-il donné davantage de relief encore. Je voudrais corriger la fausse impression que mes mots ont peut-être distillée, mais quoi dire ? Je m'abstiens. Isabelle sourit.

C'est Paul qui reprend la parole. Pour provoquer une nouvelle petite déflagration. Ça va te paraître… déplacé, dit-il, pendant ces années où les gens mourraient, où on voyait des reportages à la télé, il m'arrivait de me demander… je ne sais pas si j'ai raison d'évoquer ça… enfin… de me demander si tu pouvais être l'un d'eux… je me disais : on peut si facilement faire une bêtise, ou ne pas être vigilant, ça peut arriver, j'y pensais à cause de… de ta sexualité, j'imagine que c'est choquant de le dire aujourd'hui mais à l'époque, avec le peu d'information qu'on avait, ce n'était pas absurde d'y penser, mais ce n'était pas seulement à cause de ça, en fait je me souvenais de l'hôpital, de toi à l'hôpital, l'image ne s'effaçait pas, je ne sais pas si c'est pareil pour tout le monde, en tout cas pour moi l'image ne s'effaçait pas, et ça me donnait l'impression que tu n'étais pas complètement à l'abri, je sais c'est idiot mais bon.

À nouveau, une légère sidération (ce dîner qui aurait dû être une discussion en surface, une causerie badine vouée à remplir le blanc des années écoulées les uns loin des autres est en train de virer au récit des remords amassés, des inquiétudes inexprimées). Un silence à nouveau s'installe, parce qu'il serait délicat de commenter la longue tirade.

Dans ce silence obligé, d'abord, je devine que le souvenir n'est pas seulement celui de l'hôpital mais celui, également, du rendez-vous dans le café, à Bordeaux, quand j'attendais de savoir si j'étais séropositif ou pas (sauf que ce souvenir-là est indicible, inracontable).

Ensuite, je songe que le raisonnement de Paul se tient, en tout cas je le comprends, je le comprends sans réserve. Oui, dans ces années 90, des populations paraissaient particulièrement visées par le virus et j'appartenais à l'une d'entre elles.

Mais surtout ses paroles m'émeuvent. Elles me bouleversent même.

Ainsi Paul a continué à penser à moi. Il ne m'avait pas effacé, éliminé, fait disparaître, j'étais encore là, dans un recoin de sa mémoire, et davantage peut-être : dans un tiroir de son esprit, je l'avais accompagné, au moins par intermittence.

Paul a été traversé aussi par une frayeur diffuse, et qui sait si on ne pourrait pas la prendre pour de la tendresse ?

Cependant, de son touchant monologue, je retiens encore autre chose : *on peut si facilement faire une bêtise*. Parlait-il de moi ou de lui ?

Je finis par lancer une boutade : eh bien non, tu vois, la mort, une fois de plus, n'a pas voulu de moi.

La boutade est si lugubre qu'elle produit l'effet inverse au but recherché.

C'est le moment que choisit Antoine, inquiet peut-être de la tournure que prennent ces retrouvailles, pour intervenir : il n'y a pas à dire, vous savez trouver des sujets de conversation très fun. Et aussitôt, la tension retombe. Je pourrais l'embrasser pour savoir instiller de la légèreté quand les instants sont trop lourds, j'aime tant sa malice, son goût pour la dérision et je dois avouer qu'ils tombent à pic. Pourtant, j'aurais bien aimé poursuivre ce dialogue : je devine qu'une vérité profonde, tue, est en train de se frayer un chemin et il ne me déplairait pas qu'elle éclate.

La serveuse vient ajouter une distraction en nous apportant les plats commandés. Chacun d'entre nous se voit réduit au mutisme par l'obligation de plonger dans son assiette.

J'en profite pour évaluer les forces en présence.

Isabelle ? À l'évidence, elle souhaite éviter les sujets sensibles, s'en tenir à une mondanité de bon aloi, est prête à évoquer nos vies d'aujourd'hui mais n'entend pas remuer un passé qu'elle estime révolu, elle surjoue la décontraction mais ne peut s'empêcher de se crisper lorsque nous flirtons avec la ligne jaune. Je ne lui reproche pas son attitude. À sa place, sans doute agirais-je de la même manière. Mais, du coup, je me demande pourquoi elle a accepté pareille confrontation : il lui suffisait de dire non, non je ne veux pas y aller. Son mari s'est-il montré insistant ? A-t-elle pensé que je la jugerais mal élevée ou peu sûre d'elle, si elle refusait le face-à-face ? Ou a-t-elle estimé qu'il lui fallait en passer par là afin de solder les comptes, de se débarrasser une bonne fois pour toutes des fantômes qui tournoieraient autour d'eux ?

Paul ? Il me surprend. Il me surprend parce que l'introspection n'était pas son genre, parce que courir le risque de heurter frontalement son épouse ne lui ressemble pas, parce que je l'imaginais uniquement concentré sur le présent ou l'avenir. Et je découvre qu'il ne s'est pas défait totalement de ce qui nous a rapprochés un jour et qu'il éprouve le besoin de parler. Ce faisant, au fond, il est cohérent avec la démarche qu'il a entreprise en se présentant devant moi, nu et désarmé, dans la librairie un peu plus tôt dans la journée.

Antoine ? On pourrait croire qu'il est intimidé, que ces adultes établis l'impressionnent. Croire aussi que cette nostalgie l'indiffère, que cette conversation l'ennuie. Mais il n'en est rien. Il assiste à un spectacle. Du reste, il l'avait pressenti dès l'annonce du dîner : se trouver aux premières loges peut être divertissant.

Et moi ? Moi, je navigue à vue, entre des contradictions. Ne voulant pas blesser Isabelle qui a raison de répugner à un déballage intime, ni Antoine qui n'est pas une quantité négligeable, mais désireux d'entendre Paul pour comprendre *ce qui reste de nous*. Condamné à être frustré si on s'en tient à des choses superficielles, mais inquiet à l'idée de la direction que prendront ces retrouvailles si nous creusons trop profondément. Incapable d'orienter la discussion alors que je suis celui qu'on interroge.

Tandis que nous jouons de nos couteaux et de nos fourchettes, je jette un coup d'œil à la dérobée en direction de Paul. Pour la première fois peut-être depuis sa réapparition, depuis son arrivée dans le restaurant, je le regarde non comme celui qui s'exprime – ce qui suppose une attention aux mots prononcés, aux questions posées – mais comme celui qui se tait – et, dans ce cas, l'apparence reprend le dessus. Je le regarde non comme celui qu'il est devenu – un quadragénaire élégant – mais en m'efforçant de traquer celui qu'il était : j'ai mentionné qu'il avait peu changé, l'exercice n'est donc pas si difficile. Sous le costume raffiné, je peux retrouver la désinvolture d'alors, dans les cheveux bien peignés je devine les boucles d'antan, le cheminement de sa pomme d'Adam quand il déglutit me semble familier, la fossette que le sourire dessine sur sa joue gauche ne s'est pas estompée, le grain de sa peau est encore celui que je caressais ; cette constance me trouble à nouveau.

Me reviennent alors les instants de 1989, quand l'amour était occulte, quand notre jeunesse nous offrait un sauf-conduit, quand l'inconscience nous guidait, quand les étreintes étaient ce qui importait le plus, quand les possibles l'emportaient sur les devoirs ; tout était plus simple, même si nous dansions au bord d'un abîme.

Alors qu'une certaine tranquillité est en train de s'installer, que la lumière de l'endroit elle-même semble plus tamisée et que les éclats de voix des gens alentour nous parviennent amortis (en réalité, c'est simplement que nous nous y sommes accoutumés), Antoine, avec son naturel joueur, décide de mettre à nouveau les pieds dans le plat (et de revenir à la question du triangle amoureux habilement esquivée un peu plus tôt) : pardon mais je suis surpris que personne ne parle d'*Un garçon d'Italie*, lance-t-il, moi c'est le seul livre de Philippe que j'ai lu, bon j'ai une excuse : on se connaît depuis trois mois seulement, et je l'ai choisi parce que ça avait l'air d'être un polar, un type retrouvé noyé, une enquête, et puis je me suis rendu compte que ce n'était pas ça, mais *maintenant* je comprends que c'est vraiment autre chose, vous l'avez lu, vous ?

Pour être honnête, quand nous avons quitté l'hôtel, j'ai envisagé de dire à Antoine : on n'évoque pas le *Garçon d'Italie*, bien sûr. Je me suis finalement abstenu. À la fois parce que je ne me voyais pas lui dicter sa conduite et parce que je devais me douter qu'il aurait irrésistiblement envie d'aller contre cet interdit. Je constate que mon abstention n'aura servi à rien. Ce garçon n'est pas porté au consensus, de toute façon.

L'embarras, en face de nous, est immédiatement palpable. Si Isabelle ne lit pas mes livres, à l'évidence, elle connaît le contenu de celui-ci. Elle sait qu'on entre dans la tête d'un jeune homme, partagé entre sa compagne et son amant. Paul est incommodé, lui aussi. Il devine qu'il a inspiré Luca Salieri, le noyé de Florence. Et même la couverture du roman, un autoportrait de Filippino Lippi qu'on peut admirer à la chapelle Brancacci, fait penser à lui. Là, probablement, on s'approche trop près du cœur. Pour éteindre l'incendie qui menace, j'use de dérision : Antoine, je vois bien où tu veux en venir mais personne n'est italien et personne n'est mort. À ma grande surprise, Isabelle intervient : non, laisse, Antoine a raison, on ne va pas faire comme si ce livre n'existait pas. Je bafouille : franchement, on n'est pas obligé d'en parler et puis c'est un roman, merde (je dis ça, c'est un roman, merde, je proteste, je défends mon imaginaire, je défends la déformation profonde du réel, j'en ai assez qu'on confonde fiction et témoignage). Paul renchérit : oui, je suis d'accord, c'est un roman. Il laisse planer un silence puis tomber une phrase qui produit l'effet d'une sentence prononcée dans l'enceinte d'un tribunal : *les choses ne se sont pas passées comme ça.*

Antoine a un léger mouvement de recul, il se croyait malin et voilà qu'on lui tape sur les doigts. Isabelle frémit, étonnée comme nous tous par la froideur résolue de son mari. Et moi, je voudrais qu'on parle d'autre chose ; on n'écrit pas des livres pour que les gens les décortiquent devant nous (non les livres ne sont pas des rats de laboratoire qu'on dissèque). Cependant, chacun comprend qu'il est trop tard, le coup est parti. Évidemment, Antoine ne s'en tiendra pas là et, en effet, il feint l'ingénuité : ah bon ?

Paul, mis au défi, se croit tenu d'expliquer et reconnaissons qu'il le fait avec un certain sang-froid (comme s'il avait longtemps ressassé l'analyse) : on était beaucoup plus jeunes que les personnages, on n'avait pas leur connaissance de la vie, du monde mais surtout on n'était pas prisonniers de leurs conventions, on n'était pas enfermés dans des rôles, des stéréotypes ; c'est des bourgeois et on n'était pas des bourgeois.

Paul a raison. Nous n'étions pas des bourgeois, nous n'étions pas soucieux de notre quiétude, de notre sécurité, nous n'étions pas dépourvus d'ouverture d'esprit. Et nous étions encore volatils, altérables, ondoyants : notre vie allait prendre un tour sérieux mais nous n'y étions pas encore, nous n'avions pas atteint ce point de non-retour, c'étaient nos derniers moments incertains, accidentels ; ça change tout.

Par conséquent, j'abonde dans son sens, avec l'intention – un peu trop visible – de clore le débat : voilà, exactement, on ne leur ressemble pas.

Antoine, frustré de sa défaite rapide, abat une dernière carte : vous n'aviez même pas leur fougue, leur affolement ? Parce que je les ai sentis vachement fougueux, moi, ces trois-là. Franchement, être fougueux à vingt ans, personne ne vous le reprocherait.

On se dévisage. On n'a le choix qu'entre deux déroutes : avouer que nous ne ressentions rien – ce serait un mensonge – et cela ferait de nous des engourdis, des indolents, ou reconnaître les émotions qui nous ont traversés alors – et nous serions impudiques. On se tait. On baisse la tête.

Est-ce pour lui rendre la monnaie de sa pièce ? Paul, lorsqu'il se redresse, cible Antoine : et donc, tu disais que ça fait trois mois que vous vous connaissez, Philippe et toi ?

On jurerait qu'il lui balance, dans le seul but de se venger : tu viens seulement d'arriver et sans doute ne seras-tu qu'une passade. Il le renvoie à un statut d'amant transitoire (alors que lui, Paul, fut un amoureux). Le cantonne à la fonction de divertissement. Explique sa situation par mon seul goût pour la nouveauté. Cette férocité ne lui ressemble pas. Si elle n'est pas le fruit de mon imagination, alors elle exprime une forme de malaise.

Antoine ne se démonte pas : trois mois, oui, mais à mon âge, trois mois, c'est déjà beaucoup.

Ce faisant, il rappelle de manière éclatante sa jeunesse, afin qu'elle vienne contraster avec nos quarante ans et un peu plus. Il dit un autre rapport au temps, la vélocité. Il dit aussi qu'il incarne le présent, quand les assis que nous sommes porteraient, un peu trop visibles, les stigmates du passé.

Piqué au vif, Paul rebondit : ne va pas te vexer, mais, du coup, j'aimerais bien savoir ce qu'a été la vie sentimentale de Philippe avant... hein Philippe, tu ne nous as rien dit sur le sujet...

On a vu des interrogations plus délicates.

Relevant précisément l'indélicatesse, Antoine plante une banderille, rigolard : en fait, tu aimerais savoir qui il y a eu entre toi et moi, quoi...

Le regard d'Isabelle se voile aussitôt. Elle sait pertinemment ce qui nous a réunis, son mari et moi (le besoin de la peau de l'autre et, au-delà, probablement, un *sentiment*). Elle est capable de l'affronter. Mais elle n'a pas forcément envie qu'on en fasse étalage.

Je m'affole : est-ce que c'est réellement intéressant ?

À la surprise générale, c'est Antoine qui réplique : figure-toi que, moi aussi, ça m'intéresse... tu ne m'en as jamais vraiment parlé.

Je scrute Antoine, me tourne vers Isabelle et Paul. Je songe à persister dans mon refus : après tout, ces histoires ne regardent que moi et on n'est pas tenu de se prêter au jeu auquel nous propose de jouer. Pourtant je consens à me lancer puisqu'il semble que tout doive être posé sur la table et, tant qu'à faire, je choisis une forme de franchise : il y a eu des garçons, des garçons qui généralement ne restaient pas, qui n'étaient pas du genre à rester, et ça m'arrangeait, on ne choisit pas par hasard des gens qui ne s'attachent pas, ça veut dire que soi-même on ne recherche pas la durée, c'étaient des histoires agréables souvent, c'est agréable quand c'est sans enjeu, quand on ne se promet rien, alors bien sûr c'était davantage du sexe que de l'amour mais ça m'allait, je ne me souviens pas de tous, je me souviens simplement qu'ils étaient légèrement cinglés la plupart du temps, ou disons pas équilibrés, pas prévisibles, eux m'ont oublié aussi, bien sûr, puisque j'étais oubliable, ils ont été dans ma vie un moment et j'ai été dans la leur un moment et on est passés à autre chose, et un jour il y en a un qui a retenu mon attention, un vibrion avec des cheveux roux et des yeux bleus, je donnais des cours dans l'enseignement supérieur, il était un de mes étudiants, raconté comme ça, ça peut paraître bizarre, mais en fait j'avais vingt-huit ans et lui vingt-deux, on savait tous les deux ce qu'on voulait, un soir on est allés prendre un verre, et puis il y a eu un autre soir, et encore un, et quelque chose s'est noué, ça m'a fait un peu peur, j'ai pris mes distances, je sais faire ça très bien, prendre mes distances, j'ai appris de mes chagrins de jeunesse, mais il est revenu à la charge, un jour il a sonné à la porte de mon appartement, il portait un sac à dos, il a dit : je voudrais entrer, il a ajouté : tu peux dire non mais si tu dis oui alors j'entre pour de bon, et je ne repartirai que quand je l'aurai décidé, je l'ai laissé entrer, il n'est reparti que cinq ans plus tard, et quand ça s'est produit j'ai eu si mal que je me suis juré qu'on ne m'y reprendrait plus, alors à nouveau il y a eu des garçons de passage, à tous je ne promets rien, avec tous je suis parfaitement clair désormais, à Antoine je n'ai rien promis et d'ailleurs ce petit con m'a répondu : encore heureux ! Voilà, ce n'est ni glorieux ni infamant, c'est ma vie.

La franchise néanmoins a ses limites.

Je ne dis pas la honte de mon corps, secrétée par la blessure qui barre mon ventre, par l'enfoncement du torse, par la maigreur excessive. Une honte qui allait quelquefois jusqu'au dégoût.

Je ne dis pas le défaut de confiance que cette honte engendre, la conviction d'avoir toujours moins à offrir que l'autre et de ne pas pouvoir être à la hauteur.

Je ne dis pas la maladresse, le manque d'habileté, presque l'incompétence, quand tant de mes partenaires ont une élégance naturelle, des gestes faciles, une sensualité sans calcul. (Écrivant cela, je me souviens des épidermes soyeux, des épaules rondes, des grains de beauté.)

Je ne dis pas le spleen qui s'ensuit, le découragement, le malaise encore aggravé.

Je ne dis pas, lorsque les aventures se terminent, le soulagement parfois, qui n'empêche pas la morosité.

Je ne dis pas les longues plages de solitude, entre deux aventures, une solitude que j'affirme choisie et qui devient de plus en plus subie, le réflexe d'orgueil tandis que mes pas résonnent dans l'appartement vide.

Je ne dis pas, lorsque la solitude prend fin, les baisers voraces, les étreintes de naufragé.

Je ne dis pas que je n'ai toujours pas compris pourquoi des garçons venaient vers moi, pourquoi il leur arrivait de s'accrocher ; je ne sais vraiment pas ce qu'ils me trouvaient.

Paul est manifestement intrigué. Non par la litanie de mes brefs attachements (laquelle, à l'évidence, ne l'étonne guère), plutôt par l'existence d'une histoire qui a compté (comme s'il y devinait la possibilité d'une lointaine succession, actant de fait que lui-même avait compté jadis) : le garçon aux cheveux roux, demande-t-il, c'est son départ qui a permis l'écriture ? parce que tout à l'heure tu as expliqué que tu avais commencé ton premier roman après une rupture...

Je dis : je constate que rien ne t'échappe.

Je pourrais ajouter : son départ, d'abord, m'a pris par surprise, un dimanche soir je suis allé le chercher à la gare Montparnasse, il rentrait d'un week-end chez ses parents, je l'ai vu arriver de loin, marcher sur le quai dans ma direction et là, j'ai su, il n'a pas eu besoin de parler, j'ai su que c'était fini, c'était quelque chose dans sa démarche, puis dans l'expression de son visage, puis dans son regard quand il a été tout près, ça disait que c'était fini, fini, que c'était irrémédiable, d'ailleurs je n'ai même pas lutté, j'ai admis d'emblée que ça ne servirait à rien, que je m'humilierais davantage en battant des poings, il a quitté l'appartement le lendemain et j'ai plongé dans des abîmes, littéralement plongé, et il m'a fallu beaucoup de temps pour en remonter, je me suis même demandé si je remonterais un jour, j'étais cerné par une telle obscurité, la tristesse était si dense, j'ignorais qu'on pouvait être aussi triste, quand on me parlait de ces abattements chez les autres j'émettais des doutes, je me disais que c'était exagéré, j'ai compris que ça ne l'était pas, et finalement l'écriture a remplacé l'absent, elle a pris le dessus sur lui, je pourrais dire qu'elle m'a guéri, mais elle ne m'a pas guéri au sens où on l'imagine, ç'aurait pu être autre chose que l'écriture, il fallait juste que ce soit une activité qui comble un vide, que ce soit une *occupation*.

Cependant, je ne confie pas cette détresse, trop fier sans doute, refusant de me montrer aussi misérable, lamentable.

Paul, dont la curiosité n'est pas étanchée, poursuit : tu sais ce qu'il est devenu ?

Je réponds du tac au tac : il est retourné vivre avec celle qui m'avait précédé.

Il ne faudrait pas répondre du tac au tac quelquefois. Il faudrait ne pas se sentir tenu de répondre, ou de dire la vérité. Il m'arrive souvent, du reste, de laisser les questions en suspens, ou d'inventer des balivernes. Mais là, non.

J'observe l'effet produit par les mots malencontreux.

Que pense Isabelle ? Que décidément j'ai le chic pour choisir des garçons ambivalents et aggraver leur indécision ? Que j'ai récolté ce que je méritais ?

Et Paul ? Que je ne m'entiche que de funambules en équilibre tout là-haut sur leur fil ? Que j'ai cherché à retrouver quelque chose de lui dans ceux qui lui ont succédé ? Que je n'ai pas appris de mes erreurs ? Que je n'ai pas échappé à certaine malédiction ?

Et Antoine ? Que tout cela mérite qu'on en sourie ?

Je dis, défiguré par un rictus : il ne faut rien en conclure, chaque histoire est unique.

Et je le crois profondément, ne serait-ce que parce que la gémellité des amours n'est pas *possible*, aucun amant n'est identique à un autre, et, nous-même, la vie se charge de nous transformer, on ne peut pas revivre ce qu'on a vécu quand bien même on le désirerait, bien sûr il peut exister des similitudes, il peut arriver qu'on renoue avec des sensations, qu'on soit décontenancé par la texture d'une peau, la sonorité d'une voix, la douceur d'un geste au motif qu'on les aurait connues chez un autre, mais cette ressemblance restera parcellaire, subreptice, bien sûr on a des affinités, on peut aller vers un certain type, un genre, une apparence, une forme d'esprit, on peut avoir des attirances tournées dans la même direction mais à la fin, l'aventure, aboutie ou ratée, est nécessairement singulière ; dans l'existence on ne fait rien d'autre qu'additionner des aventures singulières.

Cependant, personne autour de la table, dans ce restaurant aux allures de vaisseau qui tangue, ne me fait crédit. Chacun est convaincu que je me suis voué à un éternel recommencement.

Je n'ai pas l'occasion de plaider ma cause : Isabelle pose théâtralement sa serviette à côté de son assiette et lance : moi, si ça ne gêne personne, je vais sortir m'en griller une !

Joignant le geste à la parole, elle ramasse son sac à main, le fouille pour en extraire un paquet de cigarettes, un briquet puis se lève.

Estime-t-elle qu'il lui faut s'extraire du jeu, au moins un moment, pour échapper à la tournure que prend la conversation, pour en évacuer la tension implicite, pour recouvrer ses esprits, ou pour nous permettre de nous parler plus librement, ou, à l'inverse, nous obliger à un ennui embarrassé parce que son absence rendrait tout dialogue plus impudique, plus dangereux ?

Mais peut-être ce départ n'est-il rien d'autre que la manifestation d'une addiction au tabac et il serait hasardeux de l'interpréter différemment.

Il est néanmoins perturbé par une réaction que l'intéressée n'avait sans doute pas envisagée : Antoine saisit la balle au bond et demande s'il peut l'accompagner. Isabelle, vaguement surprise, acquiesce. Je comprends à son regard qu'elle avait plutôt envie de se retrouver seule, qu'elle ne voit pas bien ce qu'elle va raconter à ce petit jeune homme et que la perspective de nous laisser en tête-à-tête, Paul et moi, a quelque chose d'inquiétant.

En tout cas, les deux s'éloignent en direction de la sortie. Paul et moi restons assis l'un face à l'autre.

D'abord, un silence s'installe et les regards s'évitent. Nous vérifions ce que nous savons déjà : parler de soi les yeux dans les yeux se révèle infiniment plus délicat que de s'exprimer par sous-entendus et devant témoins, une parole directe est infiniment plus périlleuse qu'une conversation détournée où s'entremêlent considérations générales, souvenirs édulcorés et regrets murmurés. Nous sommes alors rattrapés par le brouhaha joyeux du restaurant, le tintement des verres, les exclamations et les esclaffements, la percussion répétitive de la musique d'ambiance. Nous redécouvrons l'atmosphère tamisée, la lumière des abat-jour, la brique qui fait un cocon. Finalement, Paul se lance, armé d'un sourire trop appuyé.

— Il était vraiment roux, le type aux cheveux roux ?

— C'était Van Gogh revenu parmi les vivants, je ne peux pas mieux le décrire.

Il éclate de rire. Je me souviens qu'il riait très peu, ce n'était pas sa nature, je devais me contenter de quelques sourires mais c'étaient des sourires qui me bouleversaient, à cause de leur rareté bien sûr, surtout parce qu'ils disaient que tout n'était pas sous contrôle, et qu'on avait droit à la douceur, nous aussi, à l'indulgence, à la quiétude.

Rapidement, il redevient sérieux.

— Mais tu savais ? tu savais pour lui... je veux dire pour lui et la fille, la fille avant toi ?

À nouveau, il est balbutiant. Je devine que la véritable question est sous-jacente, que Van Gogh n'est qu'un prétexte.

— Oui, je savais.
— Et tu y es allé quand même ?

On jurerait qu'il s'adresse à moi comme à un enfant irresponsable qui aurait commis une bêtise, ou à un adolescent immature qui se serait jeté dans la gueule d'un loup. Seul son étonnement sauve son propos du paternalisme et atténue le ton de la réprimande.

— C'est lui qui est venu, tu te souviens ?

— Du coup, tu as pensé que c'était terminé avec les filles et qu'il assumait sa vraie nature ?

J'entends cette expression et je n'ai qu'une envie, celle de hurler : mais sais-tu ce que c'est, toi, d'assumer sa vraie nature ? sais-tu que c'est peut-être précisément ce que tu n'as jamais fait, jamais osé faire ? Je ne hurle pas, évidemment. Je me contente d'une légère ironie.

— Tu crois que c'est aussi simple ? toi ?

— Tu ne réponds pas à ma question.

Toujours ce don (magnifique, à certains égards) pour l'esquive. Et cette volonté (chevillée au corps) de ne pas s'en laisser conter et de fixer le tempo.

— Non, je n'ai pas pensé ça, je n'ai rien pensé du tout, tu ne penses pas à ce genre de choses quand tu obéis à du désir, et que le désir est partagé, tu n'es pas dans l'intelligence, et tant mieux.

— Mais c'était casse-gueule…

— Oui, d'ailleurs je me suis cassé la gueule, mais encore une fois je n'ai pas réfléchi, je n'avais pas conscience du danger, ça ne m'intéressait pas, ce qui m'intéressait c'était d'être avec lui, pour le temps que ça durerait.

Un silence. Comme s'il lui fallait laisser filer quelques secondes avant de prononcer les mots suivants, alors qu'il n'a développé son raisonnement que pour en arriver là, à cette conclusion et que je devine parfaitement ce qu'il va dire.

— Comme avec moi, quoi.
— Comme avec toi, oui.

Il se recule sur sa chaise. Posture du vainqueur ou de l'effrayé ?
C'est moi qui enchaîne.

— Mais je te rappelle que toi aussi, à l'époque, tu t'es lancé dans une aventure que tu aurais dû t'interdire.
— Ce n'était pas pareil.
— Parce que tu n'étais pas amoureux ? parce que je n'étais qu'une maîtresse ?
— Parce qu'on était très jeunes, très irresponsables.
— Ce n'est pas la réponse que j'espérais, tant pis pour moi.
— Tu espérais quelle réponse ?

— « Tu n'étais pas ma maîtresse. Et j'étais amoureux. »

Une pause, à nouveau. Cette fois, la peur est palpable. On la sent, cette putain de peur. Elle fait cogner le sang dans les veines. Elle est partagée.

Paul me dévisage.

— Tu n'étais pas ma maîtresse. Et j'étais amoureux.

Je songe que je les ai attendus, ces mots, je les ai *tellement attendus*, quand j'avais vingt ans. Combien de fois j'ai voulu qu'il les prononce, qu'il les articule, qu'il se décide à les articuler, que ce soit assumé, affirmé, résolu, et ça n'est jamais arrivé. Combien de fois j'ai souhaité qu'ils lui échappent au moins, dans la nuit des draps froissés, dans l'urgence des corps enlacés, des bouches embrassées, que ça sorte malgré lui, indépendamment de lui, même s'il devait les regretter juste après, et ça n'est jamais arrivé. Combien de fois j'aurais admis qu'il les murmure, même du bout des lèvres, même au téléphone, même en s'empressant de passer à autre chose, simplement pour me rassurer, pour que j'aie quelque chose à quoi me raccrocher, pour que je sois moins seul, et ça n'est jamais arrivé.

Et voilà que dix-huit ans plus tard, alors que la vie nous a roulé dessus et conduits ailleurs, il les dit, ces mots fabuleux, ces mots sensationnels, ces mots tout simples. Ils devraient avoir le goût de la victoire, mais ce serait une victoire posthume. Celui de la revanche, mais le combat a été définitivement perdu. En réalité, ils ont la texture d'un baume, ils apaisent la brûlure. Vous savez, on s'est exposé au soleil, on a aimé cette chaleur, cette belle lumière sur soi, et le soir venu, les rougeurs sont apparues, la douleur a surgi, on a senti sa peau endolorie, on s'est demandé comment c'était possible, on était tellement bien, on n'a pas vu le mal frapper, ou plutôt on n'a pas compris que la lumière était un leurre, que ses rais étaient des flèches, et là, maintenant, on voudrait que ça se calme, ce feu, cette corrosion mais ça ne se calme pas, et il est trop tard pour dénicher un cataplasme, un élixir, on est condamné à la douleur. Il aura mis du temps à venir, cet élixir. Dix-huit années.

Je devrais néanmoins m'en satisfaire, éprouver une sorte de reconnaissance, exprimer une gratitude, au moins sourire, de ces sourires un peu las, mais le souvenir de la douleur est plus fort, il l'emporte sur la douceur du baume tardif.

— Tu ne l'as jamais dit ; pas une fois.
— Tu ne me l'as jamais demandé.

Sa réplique a fusé mais elle sonne (une fois encore) comme une dérobade. Une facilité visant à escamoter le débat. Car évidemment, on ne déclare pas son amour comme on montre ses papiers à un gendarme qui nous les réclame.

— Ce ne sont pas des choses qu'on demande.
— Tu as raison, ce sont des choses qu'on ressent.

Façon de me renvoyer mon observation comme revient un boomerang et de me signifier que c'était à moi de savoir, d'un savoir absolu, immanent, et si je ne savais pas, c'est que j'étais un idiot ; ou que je n'avais pas confiance en moi ou en lui. Je tente alors de rationaliser.

— Ressentir et être certain sont deux choses différentes.
— On se moque des certitudes, ce qui compte c'est les sentiments, non ?

Une banderille qu'on plante dans le cou de l'animal. Je songe que décidément, il n'a pas changé. En dépit de la contrition initiale (son fameux *je m'en suis voulu*) demeurent l'ambiguïté et une certaine manière de jouer sur les mots.

J'insiste.

— Je crois que tu ne l'as pas dit parce qu'il y a du contrat dans ces mots-là... et tu n'as jamais voulu d'un contrat entre nous.

— Le contrat, je l'avais passé avec une autre et je te l'ai expliqué, dès le commencement.

Oui, bien sûr, je savais pour Isabelle, je savais pour le mariage, je savais pour le lien singulier, cette idée qu'il n'était pas forcément fait pour les femmes mais qu'il était fait pour celle-là. Les choses étaient claires. Elles étaient même établies avant que notre histoire ne débute. Sauf que ce n'est pas de ce genre de contrat qu'il s'agit.

— Je ne te parle pas de mariage, mais d'intimité, d'attachement, sans promesse, sans pacte, mais bien réels.

— Mais ça existait, cette intimité, cet attachement, ça existait !

Le silence reprend ses droits, quelques instants, comme s'il nous fallait assimiler ce qui vient d'être avoué. Pourtant, notre réaction est très différente, j'en suis persuadé : tandis qu'il se remémore ce qui nous a liés jadis, je me tiens tout entier dans le moment présent. Son émotion est mémorielle quand mon trouble est provoqué par son regard à la seconde où il confesse son inclination.

Je m'enhardis.

— Et si Isabelle n'avait pas été là, à l'époque, il serait arrivé quoi ? tu aurais fait quoi ?

— Je n'ai pas eu à me poser la question, elle était là.

Les yeux de Paul ont à nouveau viré au sombre et je connais cette expression sur son visage qui témoigne d'un refus. À l'évidence, j'ai poussé le curseur trop loin, brisé un tabou peut-être, ce qui a pour effet de rompre aussitôt le charme ; un diable qui rentre dans sa boîte, un génie aspiré dans sa lampe. Alors que je m'attends à ce que la conversation change de sujet, il choisit curieusement de revenir au reproche qui a déclenché notre échange.

— Toi non plus tu ne l'as jamais dit.

— Quoi ?

— Que tu étais amoureux.

— Parce que je savais que tu n'aurais pas voulu que je le dise.

Il s'est toujours arrangé pour que je ne m'épanche pas. C'était dans son attitude, dans son comportement, une répugnance pour la parole, un dédain pour l'ostentation, comme un geste de la main qui éloigne. C'était dans sa façon de détourner le visage ou de baisser les yeux. Dans sa faculté à parler d'autre chose, ou à prendre congé ou à manier le sarcasme. Ça tenait tout simplement à la domination qu'il exerçait sur moi.

Il proteste.

— Pourquoi ça m'aurait gêné ?

— Pourquoi ? Mais parce que c'est typiquement le genre de phrase qui appelle une réplique. Et, tu sais, c'est une réplique très courte, qui tient en deux mots : moi aussi.

Il sourit, dans un soupir.

Pour me faire croire qu'il me concède le point du match nul.

Avant d'adresser un signe à la serveuse, demandant qu'on nous resserve un verre.

Je jette un coup d'œil en direction du trottoir. Les guirlandes d'ampoules accrochées au-dessus des fenêtres clignotent. Elles jettent une lumière intermittente, vert et rouge, sur Isabelle et Antoine. En grande conversation, ils tirent sur une cigarette. Nous avons encore du temps, Paul et moi.

— Je peux te poser une question ?
— On n'en est plus à ces précautions, si ?

J'ignore s'il se contente d'une formule ou s'il estime que nous avons de facto accepté de nous parler sans détour, sans sous-entendus, sans plus devoir en passer par le filtre des convenances.

— Pourquoi tu es venu vers moi, à l'époque ?

Il ne fait pas semblant de chercher l'explication, il la connaît, l'énonce sans détour, comme s'il se l'était répétée en silence, plus tôt dans sa vie.

— Au tout début, c'était presque un jeu. Je voyais que tu en avais envie. Je me suis senti flatté. C'était de la vanité, je n'en suis pas très fier. Ce que je n'avais pas prévu, c'est que je me laisserais prendre au jeu.

Je salue son honnêteté. A posteriori, il aurait pu me servir une histoire romantique, qui aurait touché mon cœur de midinette, évoquer, avec la mansuétude qu'offre parfois le passage du temps, une attraction quasi irrésistible dès le premier instant. Au lieu de ça, il livre sa vérité, elle est plus triviale, et il me semble qu'elle est, en effet, *la* vérité.

J'aime aussi qu'il ne se donne pas le beau rôle. On a toujours tendance à embellir après coup, à enrouler d'un joli bolduc nos souvenirs, à occulter nos petitesses. Au moins, il échappe à ce travers.

Et j'aime qu'il confesse avoir perdu la maîtrise de son charmant manège. Il y faut un peu de courage.

— Comment c'est arrivé ? Pourquoi tu t'es laissé prendre au jeu ?

— Tu cherches les compliments ?

Je pourrais lui répondre : non, je cherche juste à comprendre. Des années après, je n'ai toujours pas compris. J'ai traîné, malgré moi, cette incrédulité pendant longtemps : ne pas savoir pourquoi j'ai été aimé, ne pas savoir non plus précisément pourquoi j'ai été quitté ; cette torture. Cependant, il n'a pas entièrement tort : j'ai *aussi* envie qu'il dise des belles choses, des choses tendres.

— Ce serait mal ?
— Non.
— Alors ?
— C'est arrivé parce que tu n'étais pas qu'un corps. C'est sans conséquence, un corps. Tu le trouves, tu fais ce que tu as à faire et puis tu l'oublies.

Il avait confessé, alors, deux aventures qui lui avaient fourni l'occasion, je l'avais supposé, de répondre à des désirs souterrains, secrets, il y avait eu des garçons, rapidement étreints, aussitôt disparus, des rencontres sans conséquence, sans dommages. Et ce qui l'unissait à Isabelle avait repris le dessus.

— J'étais quoi ?
— Je te l'ai dit à l'époque mais tu n'as pas écouté... une sensibilité, une intelligence, des trucs comme ça...

Des trucs comme ça. Je jure que ce sont les mots qu'il emploie. Je ne devrais pas y accorder d'importance. Car, au fond, les employer n'est qu'une manière de terminer une phrase quand on souhaite s'en débarrasser, de ne pas s'attarder, ou d'en minorer l'effet. Moi-même, j'emploie ces mots. Pourtant, ils me marquent.

(Et ils me sont restés. Je les entends encore, tant d'années après.)

La sensibilité, l'intelligence : des trucs comme ça. Alors qu'ils sont la définition même d'un homme.

Ma sensibilité, mon intelligence (puisqu'il parlait de moi) : des trucs comme ça. Alors que rien, pour moi, ne compte davantage.

Qu'on me comprenne : je ne lui en veux pas, j'ai bien saisi que sa pudeur se manifeste, sa réticence à utiliser des termes qui produisent de l'intimité.

— Et ça t'a plu…

— Disons que ça n'est pas neutre, ça agit sur toi, ça te trouble, ça peut avoir un effet plus durable, plus profond.

— Ça t'a fait peur ?

— Oui et non. Oui parce que je voyais bien que ça pouvait être dangereux, que ça pouvait finir par modifier un équilibre auquel je tenais. Non parce que c'était agréable, aussi.

Ainsi je ne m'étais pas trompé. Il s'était embarqué dans cette aventure presque à ses dépens, y avait pris goût, avant de se rendre compte que des sentiments s'étaient insinués et d'en avoir été décontenancé. Il aurait pu accepter d'être seulement enivré, mais l'histoire l'avait emmené trop loin, affolé, elle aurait pu mettre en péril son couple et, plus grave, l'obliger à se poser des questions plus fondamentales. Il avait arrêté les dégâts avant qu'ils ne soient irréversibles.

— Et la maladie ?
— Quoi, la maladie ?
— Elle t'a fait peur ? J'ai eu l'impression qu'elle t'éloignait de moi.
— Tu te trompes. Elle était déconnectée de mes sentiments. Elle ne m'a pas éloigné, je n'ai pas eu peur. Elle ne m'a pas rapproché non plus, je n'ai pas eu pitié.

L'épreuve que je traversais n'aurait pas eu le moindre impact sur le lien qui nous unissait ? J'en suis surpris, je l'avoue, ayant toujours estimé qu'elle l'avait aidé, même inconsciemment, à prendre ses distances. Cela s'expliquerait sans doute par sa conviction que je ne périrais pas. Et cela expliquerait un certain détachement. Il est vrai que j'aurais détesté toute forme de compassion.

— En revanche, tes autres défaillances, oui, elles ont compté…

— Mes autres défaillances ?

— Disons : tes fragilités, tes hontes, tes pudeurs. Ton manque d'assurance quelquefois.

— Parce que ça te permettait de mener le jeu ?

— Parce que c'étaient des brèches où je pouvais m'engouffrer.

Je n'ai pas le loisir d'approfondir : un bruit anormal vient du dehors, on jurerait une détonation. Sans doute un pot d'échappement ou des idiots qui ont balancé un pétard. Paul et moi avons le réflexe de tourner aussitôt le regard vers la fenêtre : nous constatons qu'Isabelle et Antoine scrutent un point particulier, en direction du bitume puis, sans s'émouvoir, reprennent leur conversation, une cigarette à la main.

— Qu'est-ce que c'était ?

— Pas la moindre idée.

— Qu'est-ce qu'ils peuvent bien se dire ?

— Pas la moindre idée.

Je devine qu'Antoine retient volontairement Isabelle au-dehors. Après coup, il me le confirmera, convaincu que nous devions nous retrouver seuls, pour renouer avec l'intimité ou pour solder les regrets, mais aussi pour éviter que ce dîner à quatre ne devienne une succession de situations pénibles, de troubles, de tensions, de sous-entendus et de faux-semblants.

— Tu crois qu'ils parlent de nous ?
— Je pense qu'ils ont mieux à faire.
— À mon avis, Isabelle cherche à mieux connaître Antoine.
— Et lui, il lui répond, et il en profite pour lui redemander une clope.

On sourit tous les deux au même moment. Mais on n'est pas fichus de dire si on est heureux d'avoir un peu de temps pour nous ou si on doit en être inquiets. En fait, il me semble que moi, je suis plutôt heureux, et que Paul est plutôt inquiet. Du reste, il a un air un peu effaré quand il reprend la parole.

— Je ne savais pas qu'on parlerait de tout ça.
— Tu es pourtant venu à ma rencontre, à la librairie et tu as accepté le dîner… Tu devais te douter que…

— Non, je te jure. Je te demande de me croire.

— Pourquoi tu es venu alors ?

— Je ne cherchais rien en particulier. Mais je n'ai pas pu résister, voilà. C'est aussi bête que ça.

Il raconte comment il a d'abord appris ma présence : par un entrefilet dans un journal destiné aux Français installés au Québec auquel il est abonné, et qu'il ne consulte généralement que d'un œil distrait. Mais il y avait ma photo. C'est cette photo qui a retenu son attention. Il précise qu'en la voyant il a pensé que j'avais changé, *en mieux*, pris de l'assurance, gagné en décontraction, que le succès m'allait bien (en somme que le succès expliquait l'embellissement présumé). Je ne ponctue pas. À côté de la photo, il était mentionné une date, une heure, une adresse. Il a refermé le journal, mais sans le jeter, comme il le fait habituellement, une fois sa lecture achevée. Et le lendemain, il l'a rouvert, il n'a pas pu s'empêcher de le rouvrir, et a machinalement consulté son agenda pour vérifier s'il était ou non occupé ce jour-là, le jour de ma venue, si un rendez-vous avait été pris dans cette plage horaire. Il s'est rendu compte que ce n'était pas le cas. Il a tracé une croix dans l'agenda, sans autre précision, il l'a tracée avec un crayon de papier, pour avoir la faculté de l'effacer mais la croix est restée. Sa secrétaire a fini par lui demander de quoi il s'agissait, elle devait fixer un rendez-vous pour lui, avait besoin d'un créneau, il a éludé. Le jour s'est rapproché, il n'en avait pas parlé à Isabelle : tant qu'il n'était pas certain de venir il n'avait pas de raison de le faire. Le jour dit il a attendu jusqu'au dernier moment pour se décider, il était enclin à renoncer, il était même de plus en plus persuadé qu'il renoncerait, trop de temps avait passé depuis la séparation, et il n'avait rien à dire en particulier, à quoi bon, il serait ridicule. Finalement, quand l'heure a sonné, il a enfilé une veste en catastrophe et filé vers la librairie, elle se trouve à quelques encablures de son bureau, ah d'ailleurs il était passé devant quelques jours plus tôt, avait repéré une affiche qui confirmait ma présence, on avait utilisé une autre photo que dans le journal, sans doute mise à disposition par l'éditeur, une pose assez flatteuse, celle de l'écrivain pénétré, une pose pas du tout naturelle, il avait poursuivi son chemin, et voilà qu'il était de retour devant cette fichue librairie, il est entré, presque incrédule, il y avait une file d'attente, il a envisagé de rebrousser chemin, c'était facile, je ne m'en apercevrais pas, et cependant il est resté, toujours sans comprendre pourquoi, il a saisi au vol des bribes de conversation, des gens racontaient un peu de leur vie, exprimaient une émotion, il s'est emparé d'un livre au passage et quand son tour est arrivé, me l'a tendu, il a pris conscience qu'il n'avait rien préparé, *tout ce temps et il n'avait rien préparé*, mais j'ai engagé la conversation sur un ton badin, il s'est détendu, s'est senti en confiance, et puis, là encore sans le décider véritablement, il m'a demandé si je lui en avais voulu, il ignore pourquoi c'est cette question qui s'est imposée, elle devait être là depuis longtemps, informulée, cadenassée, elle a jailli.

— Tu étais très touchant…
— Ah bon…

Je dis que j'en ai été ébahi moi aussi parce que, dans mes souvenirs, il était tout autre. Dans mes souvenirs, il avait de l'assurance. Et là, il avait de la fébrilité. En revanche, je ne dis pas que j'aurais bien aimé la connaître plus tôt, cette fébrilité, qu'elle m'avait manqué alors. Bien sûr, j'aimais qu'il mène la danse, j'aimais qu'il soit ce bloc, cette virilité, ce mystère, j'aimais qu'il ne soit pas en proie à des variations d'humeur, mais tout de même, ça m'aurait plu, quelquefois, qu'il s'abandonne, qu'il abandonne. Cela arrivait dans la nuit, dans les corps-à-corps, je sentais les tressaillements, les tremblements de plaisir ou de peur, mais je ne les percevais pas dans son regard, son regard demeurait clos, peut-être parce qu'il aurait eu l'impression de concéder une défaite.

— Et vraiment, tu ne sais pas pourquoi tu m'as demandé si je t'en avais voulu ?

— Non.

— Tu te sentais coupable ?

— Non. Coupable de quoi ?

— D'être parti ?

— Non. On a le droit de partir, ce n'est pas une faute. Plein de gens se quittent tous les jours.

— D'être parti sans avoir le courage de m'affronter ?

— J'ai affronté Isabelle, c'était plus courageux, tu ne crois pas ? J'aurais pu rompre avec toi et ne rien lui avouer à elle.

— Alors c'était quoi, cette phrase ?

— Je ne sais pas… je me suis dit que tu avais dû être triste… que tu avais pu m'en vouloir de cette tristesse.

Oui, j'ai été triste. Immensément. Mais ça prend des tas de formes, la tristesse.

D'abord, j'ai été abattu, comme le sont ces avions que des missiles atteignent en plein vol, et qui se désagrègent et dont les débris retombent en pluie avant de s'éparpiller.

J'ai été déboussolé aussi, comme si on m'avait privé de repères, de sens, comprenant très vite que cela exigerait du temps avant de trouver la sortie de secours.

J'ai été désenchanté, la grâce qui m'avait accompagné s'était soudain évanouie, évaporée et surtout j'avais perdu mes illusions.

J'ai été sinistre, j'inspirais de la pitié ou de la crainte, on ne recherchait pas ma compagnie, mon manteau était trop sombre.

Mais plus que ça, je me suis renfrogné. J'étais facilement irascible. Une colère sourde ne me quittait pas. Je n'avais pas été choisi. Et pire, je n'avais pas été choisi alors que j'aurais dû l'être.

Finalement, je suis devenu mélancolique, traînant une sorte d'ennui affecté.

Cependant, je n'en dis rien à Paul, non pas par fierté mais tout simplement pour ne pas l'embêter. Qu'aurait-il à faire de ces états d'âme ancrés dans des temps révolus ? Il serait déplacé de les déterrer. Et je serais un peu ridicule à les exhiber.

Je biaise.

— Non, je ne t'en ai pas voulu, je te l'ai dit.
— Ça, ça signifie que tu as bel et bien été triste.

Je souris. Paul a toujours su si précisément entendre ce que je ne formulais pas. Je me rappelle ces soirs, quand il devait rentrer au bercail et prenait congé, après l'amour. Je m'efforçais de ne pas montrer que ça me déchirait, que ça me tordait le ventre, que j'étais déjà cafardeux de le laisser repartir, torturé à l'idée qu'il allait retrouver sa femme, découragé d'être ainsi, et dans le même mouvement, renvoyé au vide et à l'illégitimité, je m'obligeais à offrir un visage encore avenant, mais à l'évidence je n'offrais qu'une grimace, à adopter un ton mutin et désinvolte, mais à l'évidence tout sonnait faux et Paul finissait par me dire : tu ne trompes personne, va, je te connais par cœur, ou il ne disait rien, trop heureux de ne pas avoir à entrer dans une conversation désagréable et se contentait de poser sa main contre ma joue, d'un geste vaguement paternaliste, vaguement consolateur.

Je déplace la cible.

— Et toi alors ? Tu t'en es voulu de quoi ?
— Pardon ?

— À la librairie, tu as dit : *moi je m'en suis voulu.*

— Eh bien, de t'avoir causé de la peine peut-être. Voilà, c'est ça, c'était ma façon de demander pardon pour la tristesse.

Demander pardon pour la tristesse. Ces mots, ces seuls mots pourraient m'arracher des larmes. Combien de chagrins avons-nous infligés, dont nous savions la violence et l'injustice ? Combien de chagrins avons-nous endurés, sans que rien ni personne vienne les atténuer ? Combien en avons-nous porté longtemps, espérant qu'on nous en soulage, espérant les mots du réconfort, de la réparation ?

Pourtant, ce n'est pas à ces mots que je réagis mais à la nouvelle esquive de Paul, à son explication inventée dans l'instant.

— Rien d'autre ?

— Je ne comprends pas.

— J'ai eu l'impression qu'en disant ça, tu disais : j'ai eu des regrets.

La serveuse vient alors – opportunément – déposer devant nous les verres commandés tout à l'heure. Elle offre à Paul un répit bienvenu. Il avale aussitôt une gorgée, témoignant malgré lui une certaine nervosité. Je le remarque.

C'est que nous nous tenons au plus près de la vérité nue en cet instant.

Soit Paul n'a aucun regret (ce qui peut être le cas ou, à l'inverse, un parfait mensonge, mais je n'aurais pas le moyen de le déterminer) et nous tirons le rideau sur nos amours anciennes, soit il admet que des doutes l'ont traversé et comment alors ne pas se livrer à un examen de conscience ?

Soit il est convaincu d'avoir pris la bonne décision jadis puis a mené la vie qui lui convenait et je n'ai qu'à m'incliner. Soit il admet s'être fourvoyé et il s'agirait d'une terrible remise en cause.

— Des regrets, non, ce n'est pas tellement mon genre…

Ces mots me glacent. Et plus encore que les mots, la façon (un peu dédaigneuse) qu'il a de les prononcer. Et plus encore que la façon de les prononcer, le parallèle que j'effectue immédiatement (on n'échappe pas à ses marottes, même dans des restaurants, même dans le décalage horaire) avec la phrase qui conclut *Un amour de Swann* : « Dire que j'ai gâché des années de ma vie, que j'ai voulu mourir, que j'ai eu mon plus grand amour, pour une femme qui ne me plaisait pas, qui n'était pas mon genre ! »

C'est le même mépris que j'entends. J'espère qu'y figure le même mensonge.

Je ne peux masquer mon désarroi, mon déplaisir. Si bien que Paul les devine. Il se corrige aussitôt.

— Je veux dire par là que j'ai pour habitude d'assumer mes choix. Quand on prend une décision, on s'y tient.

Je distingue nettement l'aplomb de l'homme accompli, dans cette façon d'énoncer. Cependant, je me souviens que l'homme dans sa jeunesse était plus ondoyant, que précisément l'un de ses traits de caractère était de slalomer entre les écueils ou de jongler avec les contradictions.

— Je t'ai connu hésitant quelquefois…

— Tout à l'heure, tu prétendais que j'avais beaucoup d'assurance.

— Alors disons funambule.

— Tu m'as connu… ambivalent ; c'est autre chose. Mais je savais ce que je faisais. J'étais jeune, peut-être frivole, mais j'avais conscience de mes actes. Et de mes inclinations. C'est comme ça qu'on dit, non ? Inclinations…

S'il est exact qu'il marchait en funambule sur une corde tendue au-dessus du vide, que la corde tremblait parfois, oscillait sous ses pas, il est tout aussi vrai qu'il n'oubliait jamais le vide, jamais le danger, jamais le risque de la chute. Et ça ne l'empêchait pas de marcher.

Et oui, on dit bien inclinations quand on répugne à employer des termes plus précis.

— Mais ce choix que tu as fait…

— Oui, eh bien quoi ? Tu veux savoir si c'était celui du cœur ou de la raison, c'est bien ça ? C'est bien de ça qu'on parle ?

Je n'ai pas le temps d'acquiescer, de confirmer que c'est en effet cette question qui m'a taraudé longtemps, et davantage que taraudé, même si je le nierais, je n'ai pas le temps non plus de battre en retraite, de lui concéder qu'il n'est nullement obligé de répondre, que peut-être il vaut mieux éluder, qu'il ne sortira sans doute rien d'utile de cet échange, non je n'en ai pas le temps parce que nous sommes interrompus par le retour inopiné d'Isabelle et Antoine. Nous ne les avons pas vus se pointer, ces deux-là, et voici qu'ils reprennent leur place, portant sur eux la fraîcheur du soir, du dehors et le parfum d'une cigarette juste fumée, portant également une complicité nouvelle, qui se devine dans l'échange de leurs sourires. Ils sont frappés de notre solennité en revanche, de ce qu'ils prennent pour de la solennité et qui est plutôt un émoi, une agitation mal maîtrisée. Isabelle murmure en s'asseyant : tout va bien ?

Quant à Antoine, il préfère la facétie : quelqu'un est mort ? vous verriez vos têtes ! On s'esclaffe en retour, on en fait un peu trop et cela se voit, mais cela nous permet d'évacuer la tension des aveux imminents et de renouer avec la mondanité du dîner. Et puis, on ment. Paul affirme que tout va bien et je fais mine de regarder aux alentours afin de répliquer à Antoine que je ne remarque aucun cadavre. J'enchaîne : alors vous avez fait connaissance ?

Ils échangent un nouveau regard. Antoine se lance : je voulais savoir comment c'est de vivre à l'étranger, je crois que ça me plairait, je ne me vois pas vivre en France de toute façon, ça craint, et puis on va se taper Sarko, tu te vois vivre sous Sarko, toi ?

Je peux difficilement lui donner tort. Du reste, quelques semaines plus tard, je déciderai à mon tour de quitter la France, j'irai passer du temps à Los Angeles, je choisirai l'éloignement, je choisirai une autre langue, un autre paysage.

Antoine poursuit : Isabelle m'a raconté Londres, New York, Montréal. Franchement, ça fait envie.

Je suis convaincu qu'elle s'est livrée à ce récit pour répondre à sa sollicitation, pour lui permettre de se faire une meilleure idée, et pour exprimer comment ces exils successifs ont modelé leur existence, mais je ne peux m'empêcher de penser qu'elle l'a fait également pour lui signifier (et donc pour me signifier à moi, par ricochet) combien ils ont été heureux toutes ces années, combien pour eux la vie a été belle, et l'est encore.

Je devrais m'en vouloir de la soupçonner de jouer ce billard à plusieurs bandes et d'être animée par un sentiment de revanche ou par la volonté d'asseoir sa domination, elle est sans doute parfaitement innocente, qui plus est je me souviens d'une Isabelle franche et aimable, pas de raison qu'elle soit devenue fourbe et féroce, mais c'est comme ça. Cette spéculation, en réalité, en dit plus long sur moi que sur elle : je ne me suis visiblement pas débarrassé d'une certaine amertume ni d'une certaine jalousie.

Je dis à Antoine : et toi, tu as parlé de quoi ? Il laisse planer un court silence, comme s'il ménageait un suspense (aurait-il pu révéler quelque chose qui me mettrait en difficulté ?) ou comme s'il voulait me reprocher de le croire incapable de tenir une conversation. Il dit : de nous évidemment. Je sursaute : de nous ? Il précise, alors que j'ai très bien compris : eh bien oui, on a parlé de toi et moi !

Me revient qu'on me range dans la case du pédé qui s'étourdit avec de la jeunesse, aime la chair fraîche (combien de fois l'ai-je entendue, cette expression atroce), et ce faisant refuse d'admettre son âge, refuse de vieillir dans une communauté où l'on serait bon à jeter à la casse passé trente ans. Je m'accrocherais à l'illusion de séduire encore quand les seules armes véritablement à ma disposition seraient celles de mon statut (être un écrivain), de ma notoriété (relative), de mon aisance (matérielle). Je serais au choix une caricature, un prédateur, une folle pathétique.

Il y a du vrai dans ces jugements.

Oui, je suis ému par la jeunesse, par ce qu'elle porte de ferveur, de vigueur, d'énergie, de flegme, d'insouciance, de foi en l'avenir (c'est la même chose peut-être). Je préfère aussi les corps non flétris, les peaux non ridées, les désirs intacts. Je m'étourdis parfois dans des *occupations qui ne sont pas de mon âge.*

Oui, j'ai la certitude que mon temps est passé, qu'il est trop tard désormais, que les possibles se sont peu à peu refermés, et j'en suis mortifié.

Oui, j'ai la conviction qu'on s'intéresse à moi davantage pour ce que j'ai fait (des livres, des apparitions à la télé, de l'argent) que pour ce que je suis (un type sans charme véritable, qu'on ne devrait pas distinguer *normalement*).

Mais ce qui me sauve (au moins un peu), c'est que j'ai conscience de tout cela, je ne me berce pas d'illusions, je m'efforce de demeurer honnête, je joue franc jeu.

Je lance en plaisantant à Isabelle : tu lui as demandé ce qu'il pouvait bien fabriquer avec moi, c'est ça ?

J'attends, je présume, qu'elle s'offusque aimablement de ma question, affirme ne même pas la comprendre, m'adresse un compliment convenu ou, au pire, se contente d'expliquer que ça ne la regarde pas, qu'elle n'a pas pour habitude de juger les couples. Mais sa réponse est, pour le moins, inattendue : non, dit-elle, je suis bien placée pour savoir que tu peux plaire.

Elle nous renvoie instantanément près de vingt ans en arrière, sans qu'on sache, une fois de plus, si elle règle un compte ou si elle s'amuse de ce passé, désormais si lointain, si inoffensif, ou si elle montre sa force en affichant une telle ironie. Elle creuse aussi, sans s'en rendre compte, l'énigme que Paul s'apprêtait, peut-être, à résoudre il y a quelques instants. Du reste, il me jette un coup d'œil interloqué mais s'en tient là. Et un ange passe.

Antoine vient à mon secours : c'est vrai que tu me plais. D'ailleurs, c'est exactement ce que j'ai expliqué à Isabelle : il n'est pas ma came et pourtant, il me plaît.

(Un détail : j'ai repensé à ces mots, après coup, et je me suis dit qu'ils caractérisaient assez bien le mystère de notre lien : on ne comprenait pas tout à fait pourquoi on était ensemble mais on était ensemble, et on ne se posait pas de questions, et tant qu'on ne s'en poserait pas, on avait des chances que ça dure.)

Le lendemain, Antoine se fera plus précis. Il me dira : en fait, elle m'a vachement interrogé sur le trottoir, on aurait dit un flic je te jure, je crois qu'elle voulait être certaine qu'on était amoureux.

Selon lui, elle avait besoin de se rassurer, de vérifier que mon sentiment était suffisamment solide pour que je n'éprouve pas à nouveau de la tentation pour son mari, d'établir que notre relation empêchait que je nourrisse la moindre arrière-pensée.

Après ? Eh bien après, la conversation reprend comme si de rien n'était. On parle *de choses et d'autres.*

Isabelle raconte qu'ils sont allés voir *Zodiac*, le film de David Fincher avec Jake Gyllenhaal (je les imagine achetant leurs tickets au cinéma du centre commercial voisin, achetant peut-être aussi un soda, du pop-corn pour ressembler aux autres, patientant dans la file d'attente, s'installant à leur place numérotée, regardant sagement le film puis sortant trois heures plus tard, d'abord sans se parler, parce qu'il faut se débarrasser de la cohue, puis échangeant leurs impressions, disant : c'est très bien reconstitué hein, et tu sais que c'est une histoire vraie, ça fait froid dans le dos quand même) et j'évite de signaler que j'ai adoré le même Jake Gyllenhaal dans *Le Secret de Brokeback Mountain*, j'évite de leur dire : inoubliable, la scène où ils s'enculent, non ?

J'évoque Luigi Comencini qui vient juste de mourir, à quatre-vingt-dix ans, je prédis qu'il sera oublié, parce qu'il n'a été ni Rossellini, ni Pasolini, ni Visconti, ni Fellini (et ils doivent penser : quel snob, qui s'intéresse à la mort de ce cinéaste ? tout ça pour nous balancer Pasolini et Fellini).

Antoine explique qu'il écoute en boucle « Relax, take it easy », le tube de ce chanteur fantasque et longiligne qui fait une entrée fracassante sur la scène musicale internationale et qu'on appelle Mika (et ils pensent : les garçons qui nous entourent dans ce restaurant doivent raffoler de cette chanson eux aussi).

Et je songe, sans le formuler, à tout ce que ces choix disent de nous.

On parle de la NASA qui a découvert de la glace sur Mars (quelqu'un dit : on s'en fout, non ? on n'ira jamais), du TGV qui a battu un nouveau record de vitesse, de Laure Manaudou encore sacrée championne du monde et de je ne sais plus quoi encore.

Le commentaire de l'actualité est une béquille bien commode. Il fait passer le temps, il permet de sauter d'un sujet à l'autre sans s'en apercevoir, il donne l'impression que nous sommes en phase avec notre époque, et, vertu suprême, il évite les silences.

À un moment, Paul confie qu'il part pour New York le lendemain. Des rendez-vous d'affaires. Je visualise à nouveau un costume, un mouvement vif, un aéroport aseptisé, un avion qui décolle, une existence que j'ai connue jadis et qui m'est devenue étrangère.

Isabelle reparle de son fils, on devine sa fierté, même si elle ajoute : bon, enfin, c'est un ado, il a des problèmes d'ado. Elle paraît détenir une expertise que nous ne posséderons jamais, nous autres (Antoine et moi), condamnés à demeurer sans descendance.

Quelqu'un fait une allusion à *L'Enfant d'octobre*, un livre que j'ai publié un an plus tôt et qui m'a valu des démêlés judiciaires. (Isabelle lance : un écrivain, ça a tous les droits, non ? Sans que je sache s'il s'agit, de sa part, d'un respect strict de la liberté du créateur ou d'un effarement devant sa possible monstruosité.) Je rétorque que le plus étonnant, ce n'était pas cette recherche de dommages et intérêts mais plutôt la réaction outragée de quelques pisse-froid, surpris qu'un écrivain s'empare d'un fait divers, comme si c'était la première fois.

On fait tous semblant de ne pas s'ennuyer et sans doute qu'on ne s'ennuie pas, en effet.

Pendant tout ce temps (pas loin d'une heure), je me demande si Paul et moi nous aurons l'opportunité de reprendre notre conversation à l'endroit où elle s'est interrompue, si j'aurai la chance de voir résolu ce mystère qui m'a hanté longtemps. Pour cela, il faudrait inventer un stratagème mais lequel ? Prétexter une envie urgente, se rendre aux toilettes et attendre que Paul m'y rejoigne ? Hasardeux. Les restants ne manqueraient pas de s'étonner (de s'émouvoir) de cette concomitance. Espérer qu'Isabelle s'y rende, dans ces fichues toilettes, et faire comprendre alors à Antoine qu'il aurait le droit de sortir se griller une autre cigarette ? Pourquoi pas mais le délai qui nous serait accordé serait probablement trop court. Escompter un incident, provoqué par une serveuse maladroite, un chemisier tâché par exemple, qui obligerait Isabelle à s'absenter afin de réparer les dégâts ? Sauf que ce genre d'incident ne se déclenche pas et que notre serveuse, hélas, ne paraît pas maladroite. Dire : il fait très chaud ici, je vais prendre l'air et proposer à Paul de me tenir compagnie, « pour que je ne sois pas seul comme un con sur le trottoir » ? Cavalier mais acceptable. Je réfléchis à ces hypothèses, si bien que les récentes découvertes de la NASA, les exploits du TGV ou de Manaudou glissent sur moi, je l'avoue. Et c'est quand je commence à désespérer qu'Antoine joue les sauveurs. À ce stade du dîner, les desserts ont été commandés mais pas encore servis, on nous a expliqué qu'il nous faudrait patienter, une préparation compliquée pour un soufflet, il a donc repéré une fenêtre de tir. Il lance : je suis désolé mais moi je suis en manque, il me faut encore une clope, Isabelle tu m'accompagnes ? Surtout que je vais t'en taxer une. Formulée ainsi, l'invitation souffrirait difficilement une objection. Isabelle sourit et se lève de table en même temps qu'Antoine. Paul proteste pour la forme : vous nous abandonnez *encore* ? Isabelle nous foudroie en retour : je suis certaine que vous avez *encore* des tas de choses à vous dire.

On les regarde s'éloigner, puis reprendre leur place sur le trottoir, sous les ampoules multicolores, au milieu d'autres comme eux, elle lui tend le paquet de cigarettes, il se sert, elle se sert à son tour, elle allume les deux cigarettes, penche aussitôt la tête en arrière et son bras bat l'air pour éloigner la fumée, il tousse dans son poing fermé comme s'il avait aspiré trop vite et une conversation débute entre ces deux-là que rien pourtant ne rapproche, sinon l'habitude de ces clopes qu'on grille au pied des immeubles et qui favorisent la sociabilité. Il y a aussi qu'il leur importe de faire ce qu'on attend d'eux, probablement.

Avec Paul, dans la solitude reconquise, je n'y vais pas par quatre chemins.

— Alors, le cœur ou la raison ?
— Tu n'abdiques jamais, toi !
— Si : ça m'est arrivé, souviens-toi.

Le sourire ironique qui s'était formé sur son visage s'estompe à l'instant où je lui renvoie ma dépendance passée et ma défaite finale. Il me doit une réponse.

— C'était pas ça, les termes du débat. C'est jamais aussi binaire. Tu n'étais pas le cœur. Elle n'était pas la raison. Ç'aurait été trop facile. Ça s'est pas joué comme ça.

J'entends la succession des phrases, j'entends les points entre chaque phrase, une marche militaire : il assène. Puis s'interrompt, semble chercher en lui-même la meilleure façon de raconter. Je devine un souci d'exactitude. Et une volonté d'adoucir.

— J'étais amoureux de toi, je te l'ai dit, et je suis capable de le redire là, tu vois, sans que ce soit difficile, c'est même bien, au fond, de poser les mots sur les choses, ça fait qu'on est moins seul, mieux compris, j'étais amoureux donc, et je ne m'y attendais pas, ça me plaisait et ça me déroutait, tu as saisi, mais je ne voulais pas quitter Isabelle, j'avais compris que je pouvais faire ma vie avec elle, ne me demande pas pourquoi, je le savais c'est tout, et je crois que j'avais besoin de cette certitude, il y avait eu trop d'incertitudes avant, trop de questions qui avaient tourné dans ma tête, avec elle il n'y avait plus de questions, avec toi elles recommençaient, les questions, et elles devenaient plus sérieuses, parce que notre histoire était plus sérieuse que les précédentes. Si je t'avais choisi, ma vie serait évidemment partie dans une tout autre direction et j'aurais peut-être été heureux mais j'aurais peut-être souffert, ou on n'aurait pas tenu la distance, en fait j'avais besoin de savoir que j'allais tenir la distance, et regarde : on l'a tenue.

Ne pas risquer d'être heureux pour ne pas risquer de souffrir : je peux comprendre ; ce principe a guidé ma vie sentimentale pendant des années.

Trouver son âme sœur (employons cette expression passe-partout, dont le seul mérite est de *représenter quelque chose* pour ceux qui l'entendent), ou son point d'amarre, oui, pourquoi pas ? (Même s'il y a là quelque chose d'un peu fictionnel, fantasmatique, je le crains.)

Mais préférer une existence tranquille, sans beaucoup d'aspérités, j'ai plus de mal. Moi, au moins, j'ai opté pour la solitude, une forme de sauvagerie, il me semble que ça avait plus de gueule. Et quand ce n'était pas la solitude, c'étaient des étreintes sans avenir, avec le premier venu, puisqu'il faut bien que le corps exulte, il me semble que c'est plus vibrant, plus excitant.

Vouloir tenir la distance, là non plus, je ne comprends pas bien. Voilà un idéal qui manque un peu d'ambition. La durée n'est pas une quête très élevée. L'intensité, oui.

À la fin, en tout cas, j'ai ma réponse : il a bien eu la trouille.

Après coup, à froid, je repenserai à cette explication.

J'en conclurai que son bonheur tranquille n'avait rien de méprisable. Une épouse aimée et aimante, un fils qu'on regarde grandir, un travail qui plaît, le confort matériel, un bel appartement avec vue, non, ça n'avait rien de méprisable, vraiment. D'ailleurs, est-ce que je n'en avais pas rêvé, moi aussi quelquefois ? Est-ce que ça ne m'avait pas fait envie, les jours où j'étais trop seul, sans personne à qui parler, ou sans espoir de descendance, ceux où l'écriture ne venait pas, où je pensais : des livres, je n'arriverai plus à en faire, ceux où l'avenir paraissait incertain, nébuleux ? Est-ce que je n'avais pas eu tort d'avoir abandonné la route bien droite, peu accidentée, sur laquelle je m'étais engagée après mes études et où il était facile de prendre de la vitesse ? La question méritait d'être posée.

En réalité, ce n'était qu'un regret fugace. Je n'aurais pas supporté de retourner à la routine, au prévisible, à un destin tout tracé. Et surtout, quand on a goûté à la liberté, comment on y renonce ? Quand on est enfin devenu soi-même, comment on revient en arrière ? Pourquoi on reviendrait en arrière ?

D'ailleurs, lui, Paul, pouvait-il, de son côté, être envieux parfois de ma vie de bohème, et de cet accord intime que j'avais finalement trouvé ? Pouvait-il être envieux de ma légèreté, de cette façon que j'avais de picorer, d'aller ici ou là, au gré des vents ou de mes désirs ? Ou, à l'inverse, se désolait-il de mes embardées, de ma précarité, de l'inéluctable perspective de finir seul ?

Je fanfaronne.

— Pas de regrets, c'est ton dernier mot ?

Le genre d'ironie qui n'en est pas, de déclaration qui espère un démenti. Allez, ce serait bien s'il avouait avoir repensé non pas à moi mais à *notre histoire* quelquefois, et s'être dit : *j'aurais dû* mais j'ai manqué de courage. Encore mieux, s'il reconnaissait avoir eu, même furtivement, le désir d'un renouement.

Puisque cela m'est arrivé, à moi.

Oui, son visage est revenu certains jours, c'était souvent le soir, quand je cherchais le sommeil sans y parvenir, le visage se formait distinctement, je zoomais même sur des détails, les boucles des cheveux, la forme de la bouche, et puis je reprenais du recul et je voyais le corps, l'allure générale, une certaine façon de marcher, les circonstances changeaient, parfois le hasard avait provoqué ces retrouvailles, on était dans une gare, ou sur le trottoir d'une ville étrangère, ou sur une place plantée d'arbres, on se croisait, on se reconnaissait, on disait : c'est fou qu'on se croise comme ça, c'était évidemment improbable mais dans l'état de rêverie volontaire qui précède le sommeil, l'improbable devient possible, parfois il s'agissait d'un rendez-vous, on avait retrouvé la trace de l'autre (par la magie de la Toile), pris contact, d'abord timidement, et puis les messages s'étaient intensifiés et on était convenus d'une rencontre, ça se passait presque toujours dans un bistrot parisien, bondé, il y avait du bruit, du mouvement, on s'asseyait dans un coin et on se parlait, pour de vrai, et là, ça devenait flou, je ne savais jamais tout à fait ce qu'on se disait, comme si les paroles étaient couvertes par le bruit, alors que j'étais simplement incapable de trouver des mots, ou c'était un écran noir, le sommeil me rattrapait, c'est bien commode le sommeil.

— Non, pas de regrets. Mais ne pas regretter ne signifie pas qu'on a oublié. Je n'ai rien oublié.

Cette confirmation me blesse, je l'avoue. La douleur ressemble à celle infligée par la feuille de papier qui nous coupe, c'est la même rapidité, la même stupidité, et la même promesse d'une brûlure durable. Je veux encore croire qu'il me ment, au moins un peu, car il est obligé de s'en tenir à la décision prise, il lui est interdit de se renier et il ne peut pas laisser la moindre part au doute, l'expression d'un doute reviendrait à admettre implicitement le mensonge, c'est blanc ou noir, ça ne peut pas être gris, et moi je suis convaincu justement que tout tient dans la zone grise. Pourtant, j'admets ma défaite, il serait humiliant de quêter un amenuisement et je préfère m'accrocher à la deuxième partie de sa réponse. Il n'a *rien oublié.*

— Vraiment ? De quoi tu te souviens ? De quoi tu te souviens en premier ? Ne réfléchis pas !

À l'évidence, Paul est pris à contrepied. Il avait simplement souhaité amortir la violence du coup au moyen d'une formule aimable et passe-partout et le voilà sommé de fournir de la substance à son propos. Mais il ne se dérobera pas : je m'en rends compte à cette manière si reconnaissable dont son regard se modifie.

— Je me souviens des cafés, des verres qu'on prenait dans les cafés, au Pala, au Rohan, pas avec les autres, juste nous deux, je n'avais jamais fait ça avant, je ne l'ai plus beaucoup fait après, tu es ce garçon dans le café, de l'autre côté de la table, tu avais cette façon d'enrouler tes deux mains autour de la pinte de bière posée devant toi comme si tu t'y accrochais, les gens la tiennent d'une main d'habitude. Je me souviens aussi d'un jour où on était assis sur un banc au soleil, aux Quinconces, on ne faisait rien, on ne se parlait pas, on prenait juste le soleil, ça devait être le début du printemps, les premiers beaux jours, j'ai pensé : ça devrait être comme ça tout le temps, tout le temps, et je me suis levé, j'ai dit : allez, on rentre et tu as répondu : d'accord, avec un air innocent parce que tu ne pouvais pas savoir à quoi j'avais pensé juste avant. Je me souviens de la rue Judaïque le soir, la porte de l'immeuble était lourde, on traversait une cour pavée, on montait des escaliers dans le noir, on entrait dans l'appartement, on faisait attention à ne pas faire de bruit, et après il y avait la chambre, je me souviens de la chambre, de la fenêtre qui donnait sur le parc, du lit contre le mur.

Il laisse planer un silence. Et puis :

— Je ne me souviens pas de l'hôpital Saint-André, c'est un endroit qui n'existe pas.

Il me dévisage. Il tient à me dire : tu vois, je ne t'ai pas menti, et je n'ai pas peur, pas peur de convoquer notre passé, pas peur de nommer les choses. Il pousse son avantage.

— Et toi ? Tu te souviens de quoi ?

Il faudrait un livre. Je l'écrirai dix ans plus tard. Là, dans l'urgence, il me faut effectuer un tri entre les images qui m'assaillent, se bousculent. Des images de corps emmêlés, de baisers affamés, de regards qui ne se lâchent plus, de promenades paresseuses. Me reviennent aussi des sonorités : une voix dont la tonalité change quand on va dans l'intimité, des silences volontairement prolongés qui ne sont jamais des silences puisque s'y ajoutent les bruits amortis, étouffés du dehors et l'écho de nos respirations, des musiques qui passaient à la radio tandis que se jouait l'essentiel et que je continue à associer à lui dès que je les entends à nouveau. Me reviennent des odeurs : celles de son parfum, de sa transpiration, celles de la chambre d'hôpital quand on se parlait au téléphone. Et soudain, quelque chose surnage.

— Je me souviens de l'île de Ré, des ciels plombés, du sable qui collait aux chaussures, de la maison qu'on avait louée à Ars, du premier matin, de ce que tu m'as dit le premier matin.

— J'ai dit quoi ?

— *On savait que ça arriverait.*

Il persiste à me dévisager. Mais l'expression dans son visage s'est transformée. Désormais, enfin, j'y décèle ce foutu regret qu'il a refusé de témoigner plus tôt. J'y reviens, par un chemin détourné ; pourtant, je ne devrais pas.

— Tout à l'heure, tu as dit : « si je t'avais choisi ». Est-ce que ça signifie que tu as réfléchi, quelques fois, même seulement une fois, aux conséquences ?

— On joue tous à ce jeu-là, le jeu du « *what if ?* », non ?

— Et alors, ça donnait quoi, quand tu y jouais ?

Il hésite, semble vouloir me dire : c'est trop long à raconter, on n'a pas assez de temps, ou : ça nous emmènerait trop loin, ou : je n'ai pas envie de parler de ça, il esquisse un sourire, comme pour annoncer une pirouette, pour s'échapper, mais il finit par comprendre que je ne me contenterai pas d'une esquive. Finalement, il consent à un effort de mémoire.

— Parfois, je ne pensais qu'aux conséquences négatives : j'aurais dû quitter Isabelle, lui faire du mal, et c'était horrible, et d'ailleurs je trimballais le souvenir de cette blessure que je lui aurais infligée, et j'aurais dû affronter la surprise de mes proches, je dis surprise pour ne pas dire rejet, ou vivre dans une forme de clandestinité, mentir à des gens en tout cas, et j'aurais dû renoncer à être père un jour et je ne l'aurais pas supporté. Parfois, je voyais ça autrement : c'était joyeux, la vie avec toi, bordélique, c'était presque toujours une vie pas normale, pas concrète, avec des voyages, on ne restait pas en place, je ne sais pas pourquoi.

Je ne peux m'empêcher de sourire, on a les victoires qu'on peut.

— Mais il y a une chose que je sais, dont je suis sûr, c'est que le seul fait de t'avoir connu, ça a fait de moi quelqu'un d'autre.

— Ah bon ? Pourtant, tu n'as pas changé. Pas du tout. Je t'ai retrouvé comme je t'ai laissé. Et surtout tu n'as pas dévié de ta trajectoire.

— Depuis quand tu te fies aux apparences ?

Je crains que sa question ne soit qu'une formule (une fois encore). Non, je n'aurai rien changé chez lui, même pas à la marge. Je n'aurai laissé aucune trace, sinon peut-être celle d'une parenthèse amusante, d'un secret bien gardé. Pour éviter que je ne l'invite à s'expliquer, il enchaîne.

— Et pour toi, ça donnait quoi, le petit jeu des hypothèses ?

— Je ne suis pas capable de ce genre d'imagination.

— Mais tu es romancier, non ?...

— Être romancier, c'est inventer des personnages, toi tu existais.

— Ça ne peut pas consister à prendre un personnage ayant réellement existé et à lui fabriquer, comme je pourrais dire… une vie alternative ?

— Si.

— Et aussi à aller puiser dans sa vie personnelle, dans ses propres sentiments la matière d'un livre ?

— Si.

— Alors ?

— Tu oublies une chose essentielle : un romancier, il a besoin de *croire* à ce qu'il écrit, même si c'est parfaitement improbable. Je ne *croyais* pas à une vie qu'on aurait partagée.

Oui, il y a eu ça, nettement, l'incapacité à *concevoir* cette vie. Au fond de moi, je devais sentir qu'elle était impossible, il y a plein de choses impossibles, marcher sur l'eau, se transporter à des milliers de kilomètres en une seconde, déplacer une montagne, ne pas mourir, ça en faisait partie, voilà. Ça n'arriverait pas, ni sur le moment, ni plus tard.

Je l'ai dit, il m'est arrivé de visualiser des retrouvailles, j'ai même écrit un livre entier sur des retrouvailles, mais je n'ai jamais pu envisager ce qui se passait après, ce sur quoi ça *débouchait*, je tenais les premières heures mais pas celles qui suivaient. Ça ne venait pas, ça ne se formait pas. Impossible, je vous dis. Pas la moindre chance.

Paul accuse le coup. Il devait espérer un élan romantique qui aurait flatté son ego ou une construction de l'esprit qui l'aurait fait sourire. Il pouvait redouter un aveu douloureux, les stigmates d'un renoncement subi. À la place, rien, une béance, un blanc, une impuissance.

— En revanche, je me suis demandé ce qu'aurait été ma vie *si je ne t'avais pas connu.*

Il marque à nouveau l'étonnement. L'étrangeté de l'exercice, sans doute.

— Par exemple, est-ce que je serais devenu un autre ? Oui. Je crois que oui. Je n'aurais pas avancé dans l'existence avec le souvenir de la dépendance qui est devenu un refus de l'attachement, ni avec la peur d'être quitté qui, elle, est devenue un refus de l'engagement. J'aurais été plus insouciant, plus confiant, je suppose. Parce que tu m'as privé, sans le savoir, sans le vouloir, d'une forme d'innocence, et tu as ruiné la confiance que je pouvais avoir en moi. Comprends-moi bien, je ne t'en veux pas. Tu ne l'as pas *fait exprès*. C'est comme ça, c'est tout. C'est une conséquence, un dommage collatéral comme on dit. Si ça peut te rassurer, je devine que j'aurais quand même fini par en rencontrer un autre qui t'aurait ressemblé, j'ai le chic pour tomber sur des types dont je ferais mieux de ne pas m'approcher. Et d'ailleurs, est-ce que je tombe vraiment sur eux ou est-ce que je les cherche ? Je n'ai pas suivi de psychanalyse, je n'ai pas la réponse.

Paul laisse s'installer un silence. Est-ce celui de la commisération ? J'ai l'air tellement peu flamboyant, d'un coup, sans doute, avec mon petit paquet de névroses, et ma pauvre ironie pour le porter en bandoulière. Est-ce une forme de respect pour ma faculté de nommer et pour quelque chose qui s'apparenterait à de la lucidité ? Ou tout bonnement le besoin d'effectuer une halte sur le parcours, de reprendre son souffle dans cette marche forcée du dévoilement de soi ? Autour de nous, les gens semblent toujours aussi joyeux, une fille bruyante se lève et porte un toast à je ne sais quoi, bientôt on aura peut-être droit à un gâteau surmonté de bougies et à des cris d'anniversaire, nous aurions dû nous contenter de leur futilité, les restaurants ça sert à ça, les soirs après le travail ça sert à ça, les lumières tamisées et la musique un peu trop forte ça sert à ça.

— Mais bon, j'ai été heureux pendant quelques mois. Il y a tellement de gens qui ne le sont jamais.

La musique redouble, les cris aussi. Je ne suis pas certain que Paul ait entendu ma phrase.

Et puis, ça se calme un peu, comme une vague qui retombe. Et c'est lui qui reprend la parole.

— Tu m'as aimé longtemps ? après ?

La question me prend par surprise, d'autant qu'elle est posée avec aplomb (vous imaginiez peut-être sa voix qui hésite, ou un murmure, un regard détourné mais non, il y va sans détour). Ainsi, nous irons jusqu'au bout dans cette danse de la divulgation. Toutes les réticences ont désormais été balayées. De surcroît, le temps nous est compté : Isabelle et Antoine ne vont pas tarder à revenir. C'en sera fini de nous.

— Oui.

Je baisse la tête, non par pudeur ou par embarras mais pour chercher mes mots. Je tiens à être le plus juste possible, à mon tour. Et je plante à nouveau mes yeux dans les siens.

— On ne se défait pas si facilement d'un sentiment comme celui-ci. Ça avait eu le temps de s'ancrer, de grandir, ça avait presque tout envahi. Mais pas comme une maladie, je sais ce que c'est la maladie, plutôt comme quelque chose de végétal, comme une plante qui prolifère, qui s'enroule. Tu sais, même quand j'étais à l'hôpital et que j'attendais de savoir si j'allais y passer ou survivre, c'était au premier plan. J'aurais dû penser à la mort et je pensais à nous. C'était peut-être un dérivatif, tu me diras. Le manque, il a entretenu le sentiment aussi. Et tu m'as manqué. Beaucoup. Vraiment beaucoup. C'est terrible, le manque, il te ronge, il te tord le ventre. C'est une sensation physique, ça ne te quitte pas. Et il y avait la vexation, la honte, parce que je n'avais pas été choisi. On croit que ça tue le sentiment mais non, ça le maintient en vie au contraire, ça fait qu'il est toujours là, comme pour nous rappeler notre défaite. Il y avait la rancœur, parce que j'étais convaincu que tu avais fait le mauvais choix, ou au moins que tu avais fait ton choix pour de mauvaises raisons. Et la rancœur, elle aussi, elle garde le sentiment vivace. Et puis je n'arrivais pas à te remplacer, au début. Je n'avais envie d'aucun homme. Ou alors ils ne s'intéressaient pas à moi, ils devaient voir ma mélancolie, ça tient toujours à l'écart, la mélancolie. Ou tout simplement j'étais redevenu ce type lambda, sur qui on ne se retourne pas. Ça rendait encore plus précieux que toi, tu te sois retourné, un jour. Alors oui, je t'ai aimé longtemps, après.

Je n'en reviens pas moi-même de cette confession que d'ordinaire je réserve aux livres, à l'écriture. Je ne suis jamais capable de parler de ça, je veux dire : d'en parler à voix haute, et devant quelqu'un. Je n'y arrive que devant l'écran d'ordinateur, qui, lui, ne me juge pas ; devant la blancheur.

Emporté par ma propre audace, je lui renvoie sa question.

— Et toi ?

Il ne peut pas ne pas répondre. Une dérobade serait injustifiable. Il se lance.

— C'est devenu *autre chose*, assez vite. Dans les premiers temps, bien sûr, je m'en voulais de t'avoir blessé. Mais pas de t'avoir quitté. Je m'en tenais à ma décision. Et Isabelle était là, on était ensemble, ça ne laissait pas beaucoup de place au passé. Et elle est tombée enceinte rapidement, ça a changé la donne, l'ordre des préoccupations. Et on s'installait à Paris, je devais prendre mes marques. Alors ç'a été plutôt simple de m'éloigner, de ne presque plus penser à toi. Avec le temps, c'est revenu, je veux dire : *quelque chose* est revenu, j'ai recommencé à penser à toi, par intermittence, par hasard, et c'était doux, c'était calme. Quand dix ans plus tard, il y a eu le premier livre, c'est redevenu de la tendresse. Une tendresse secrète ; je n'en parlais à personne. Mais c'était bien aussi, que ça ne soit qu'à moi. Voilà.

Dans ses propos, une logique presque implacable.

— Je comprends, dis-je.

Je préfère m'attarder sur les pensées à distance. J'ai toujours aimé l'idée que quelqu'un quelque part à un moment donné s'intéresse à nous sans que nous n'en sachions rien, au fait que nous-mêmes nous ayons de temps à autre un élan vers un tiers qui ne peut pas s'en douter. Et parfois, nous nourrissons l'espoir absurde, ridicule, que cette préoccupation soit partagée, comme si convoquer l'image d'une personne provoquait une connexion avec elle. Je n'ai pas su que Paul pensait à moi, je l'ai espéré. Il n'a rien connu de mes esquisses de lui. Mais ça a existé.

Et puis, songeant à son explication, j'en déduis qu'il n'a plus commis d'*écart* après moi (ah ce mot... est-il charmant parce qu'il formerait l'image du pas de côté ou moralisateur parce qu'il induirait l'existence d'une faute, d'un péché ?), je présume qu'il n'y a plus eu d'amant clandestin, qu'il y a renoncé pour se conformer à sa nouvelle vie, ou qu'il n'en a plus éprouvé le besoin. Je pose la question pour en avoir le cœur net.

— Pas eu de garçons après moi ?
— Non.

La réponse a fusé. Je devrais en conclure qu'il dit vrai (quand on répond si vite c'est qu'on n'a pas eu à réfléchir, qu'on n'a pas eu le temps de fabriquer un mensonge). Et cependant, je suis convaincu que, précisément, il me ment (la précipitation est souvent le signe d'un affolement).

Je pourrais admettre qu'il ait recherché cette abstinence mais je ne parviens pas à croire qu'il s'y soit tenu. Je crois au contraire qu'il s'est forcément laissé déborder par son désir, surtout quand il s'agit d'un désir aussi profond, et d'une certaine manière identitaire. Car je n'étais pas une expérience, une tentative : j'incarnais sa distinction, sa singularité. Y renoncer totalement eût été une négation de lui-même, et une automutilation.

Cela me plairait, pourtant, d'avoir été sans successeur, d'avoir été le dernier homme, mais je suis persuadé que, dans ses nombreux voyages, dans le huis clos de réunions professionnelles, dans les bars d'hôtel de villes lointaines, le soir venu, il a croisé le regard d'un type seul et l'a fixé deux ou trois secondes de trop, entamé une conversation badine avant que ne surgissent les sous-entendus, n'a pas su résister à la sollicitation d'un garçon entreprenant, s'est dit : je suis si loin de chez moi, personne n'en saura rien, ce n'est qu'une distraction, et finalement a trouvé le plaisir dans l'étreinte d'un corps semblable, fraternel.

(Je l'imagine aussi, tandis qu'il court dans le parc du Mont-Royal, au milieu des pins, frôler un inconnu et ne pas pouvoir s'empêcher de se retourner et montrer d'un hochement de tête un endroit calme, où des baisers seront possibles.)

— Donc tout est bien…
— J'aime ma vie.

Il a senti le doute qui me tenaille, il l'a entendu dans la malice que je n'ai pu réprimer, il l'a deviné parce qu'il me connaît, et parce qu'il sait que je le connais. En retour, il a voulu ne pas laisser de part à ce doute, en m'objectant la plénitude de son existence, l'assurance de son équilibre. Je devrais m'en tenir là, après tout l'essentiel a été énoncé. Pourtant, je ne peux m'empêcher de poser une question qu'il vaut mieux, en général, ne pas formuler (parce qu'elle peut sembler indélicate, ou intrusive).

— Tu es heureux, alors ?

Il sourit, constatant que je ne m'avoue pas vaincu et que j'ai encore besoin de vérifier qu'il n'a pas construit son destin sur une imposture. Il lui serait facile de répondre oui. Oui tout court. Oui sans rien d'autre. Un oui qui clorait la discussion, assoirait sa domination, qui signifierait : je t'ai aimé mais je te confirme que je suis passé entièrement à autre chose, ou : on peut faire des compromis, s'arranger avec la réalité et être heureux malgré tout, ou encore : ton idée du bonheur n'est pas la mienne. Un oui tranquille, apaisé. Cependant, ce n'est pas ce petit oui immense qui sort de sa bouche, mais une concession d'apparence minuscule et qui, pourtant, démontre de manière éclatante, magnifique et tragique, qu'une brèche demeure ouverte.

— Je t'ai répondu : j'aime ma vie.

Avant que j'aie pu m'engouffrer dans cette brèche, ce sont d'autres mots qui claquent, venus en résonance, jetés au-dessus de nos épaules : tu aimes ta vie ? merci, mon chéri !

C'est Isabelle qui les prononce, Isabelle qui a terminé sa cigarette et regagne la salle du restaurant en compagnie d'Antoine, Isabelle qui pose une main affectueuse sur l'épaule de son mari avant de se rasseoir. Isabelle encombrante.

Du reste, sa présence intempestive me ramène à ce qui m'a traversé l'esprit, je peux le reconnaître maintenant, quand, quelques heures plus tôt, j'ai proposé à Paul que nous dînions ensemble. Pendant une poignée de secondes, alors que j'avais remarqué qu'il ne portait pas d'alliance et avant qu'il ne me signale qu'il devait parler de ma proposition à Isabelle, j'ai pensé : se peut-il qu'il soit seul ? Se peut-il qu'il se soit séparé d'Isabelle ou qu'elle ait fini par partir ? Puisque je considérais que le choix qu'il avait accompli dans notre jeunesse n'était pas le plus naturel, il pouvait en avoir eu assez de lutter contre sa nature profonde ou elle pouvait s'être lassée d'un époux qui ressemblait à une grenade dégoupillée. Certes, j'avais du mal à l'imaginer célibataire car, au fond, Paul, pour moi, avait le besoin d'être accompagné, aimé, mais c'était néanmoins une chose possible.

Aurais-je aimé qu'il soit seul ? Sans doute. D'abord parce que, s'il s'agissait de se retrouver, un tiers était forcément en trop. On ne peut pas aller sous la surface quand on a un témoin. Ce dîner le démontrait : on devait s'en tenir, le plus souvent, à des banalités et lorsqu'on pouvait s'aventurer sur des chemins plus intimes, il se trouvait toujours quelqu'un pour nous ramener sur la grand-route, ou bien on devait se contenter de sous-entendus, de regards connivents qui n'étaient jamais pleinement satisfaisants car ils contenaient encore leur part d'interprétation, et quand un tête-à-tête se produisait c'était dans des moments trop brefs, volés à l'urgence, à la menace, soumis à la peur d'être démasqués. Oui, j'aurais aimé qu'il soit seul, et que, dix-huit ans plus tard, nous ayons le temps et les moyens d'avoir la conversation dont j'avais été privé et que je puisse me défaire de cette sensation d'inachevé, d'inaccompli qui me poursuivait malgré moi, puisque les histoires qui ont compté, quoi qu'on en dise, ne cessent jamais de nous hanter. Et puis, j'aurais aimé cette image : nous deux, de part et d'autre d'une table, *comme au bon vieux temps*. D'ailleurs, c'est cette image qu'il avait lui-même convoquée quand il s'était agi de se souvenir de ce que nous fûmes.

Mais s'il avait été seul, aurais-je tenté quelque chose ? Aurais-je tenté un rapprochement ? Je suppose que non. Je me serais dit : trop d'années ont passé, nous sommes devenus des hommes, la vie nous a emmenés ailleurs l'un et l'autre, elle nous a éloignés pour de bon et ce n'est pas seulement une question de géographie, et le sentiment s'est évaporé, il est devenu l'effluve d'un sentiment.

Toutefois, peut-on s'empêcher d'envisager de reprendre une histoire à l'endroit précis où elle s'est interrompue brutalement ? Et ne reste-t-il pas un infatigable espoir ? Celui de corriger une terrible erreur. Car si nous étions peut-être faits l'un pour l'autre, nous n'avions pas eu l'opportunité de le vérifier. Nous aurions pu être heureux ensemble et nous n'en avons pas eu l'occasion. Ces garçons dans le restaurant qui se tiennent la main, ils semblent, eux, avoir réussi là où nous avons échoué. Il aurait pu être temps de les imiter.

Sauf que le prénom d'Isabelle a été prononcé très vite dans la librairie et ces constructions de l'esprit se sont gentiment effondrées. Et maintenant nous sommes là, assis à nouveau à quatre autour de cette table, nos verres à la main. Et je renoue avec l'impuissance douloureusement ressentie tandis que s'en allait l'été de 1989.

Quand Antoine se rassoit à son tour, il pose une main sur ma cuisse. C'est un geste sobre, discret, qui n'est pas dans ses habitudes. Antoine est plutôt du genre à me dévorer la bouche en pleine rue ou à rouler dans les draps jusqu'à l'épuisement. Et plutôt du genre à ne pas témoigner, même indirectement, de tendresse. Je ne le lui reproche pas. Il n'a pas été éduqué ainsi. Du côté de sa mère, il y a de l'exubérance, qui porte aux effusions intempestives. Et du côté de son père, une froideur, qui condamne l'expression orale de toute inclination. Ainsi, dans son geste – poser une main sur ma cuisse, délicatement, à l'abri des regards – il y a tout ce qu'on ne lui a pas appris et tout ce que ses vingt ans ne lui ont pas permis d'appréhender encore. J'en suis aussitôt touché.

Antoine a deviné que la discussion avec Paul a forcément ravivé des émotions, rouvert des plaies, fourni quelques réponses, laissé des questions en suspens. Il a déjà saisi, sans que je lui explique, combien je me débrouille mal avec les amours anciennes, combien je suis rattrapé souvent par des fantômes. Alors, il me signifie qu'il n'est pas dupe et m'offre un peu de réconfort, à sa manière.

Isabelle ne demande pas à son mari comment il en est arrivé à préciser qu'il aime sa vie. Elle ne nous demande pas davantage de quoi nous avons discuté en son absence. Il lui suffirait pourtant de poser la question avec humour, sur le ton de la plaisanterie. Ne serait-ce que pour nous obliger à mentir ou, au moins, à ôter tout relief aux paroles échangées, à les déprécier. Non, elle fait comme si le long aparté ne s'était pas produit, reprenant la conversation là où elle l'a laissée en partant. Elle entend nous signifier ainsi que, si notre aparté a – peut-être – de l'importance, en tout cas il ne saurait avoir la moindre conséquence. D'emblée, elle évoque son fils, mentionnant à Paul qu'il lui a envoyé un texto pendant qu'elle fumait dehors avec Antoine. Il voulait savoir « à quelle heure ses parents rentraient ». Elle dit : on doit lui rendre des comptes maintenant ! et elle s'esclaffe. Elle évoque la tyrannie des enfants, à laquelle on se soumet de bon cœur, évidemment. Ce faisant, elle repositionne Paul dans le rôle du père et de l'adulte mûr. Elle efface habilement l'image du jeune amoureux.

Ensuite, je ne sais plus très bien. Je crois que d'autres sujets déboulent dans la conversation, se bousculent, la météo, le système fiscal des expatriés, l'étendue du Canada, la décoration de l'appartement, l'impact de la télévision sur la vente des livres, le Front national, c'est assez décousu, il faut dire qu'il commence à se faire tard et que nous avons un peu trop bu, je réponds machinalement, je suis capable de passer d'un sujet à l'autre, de donner l'impression de m'intéresser ou celle de savoir de quoi il retourne, Paul aussi participe ou ponctue. Autour de nous, le vacarme a encore gagné en intensité : les huit garçons attablés s'exclament, lèvent leurs verres, la musique est plus forte (je me souviens de « Hung up » de Madonna, de « Hips don't lie » de Shakira), des filles se faufilent entre les tables, d'autres sont arrivées en renfort. Le décalage horaire se fait sentir, je me sens tomber de fatigue, les yeux me brûlent, je reprends un mojito, Antoine se moque de moi.

Et puis, quelqu'un dit : il est temps de rentrer.

Et nous avons tous conscience, en effet, qu'une limite a été franchie, et que si nous insistons pour rester, le moment agréable deviendra une petite épreuve, et probablement un souvenir médiocre. On demande l'addition, Isabelle exige de la régler, je m'incline, on se lève.

(Tout de même, je n'ai pas oublié la férocité de son : « C'est moi qui régale. »)

Juste avant qu'on ne quitte les lieux, Paul dit : vous voulez bien me donner deux minutes ; en indiquant la porte des toilettes. Encouragé par son aîné, Antoine, dont la vessie subit les assauts d'un excès de bières, lance : j'y vais aussi.

De sorte qu'Isabelle et moi, mécaniquement, nous rasseyons à notre table pour attendre le retour de nos hommes.

C'est la première fois que nous sommes seuls ensemble, elle et moi. Et je ne peux m'empêcher de me remémorer que la dernière fois que cette situation s'est présentée, c'était un jour de septembre, en 1989, dans un café de la rue de Rivoli. Elle était venue m'annoncer qu'elle savait, pour son mari et moi, mais que leur couple allait survivre à cette épreuve, car elle lui « pardonnait », et qu'ils repartaient de l'avant et que nous ne nous reverrions plus. Et je suis persuadé que c'est ce même souvenir qui se forme en cet instant précis en son for intérieur : la configuration nous y oblige presque. Cependant aucun de nous ne se risquera à le convoquer, ce fichu souvenir. Il vaut bien mieux continuer sur le registre des banalités. Du reste, je m'attends à ce qu'elle dise : c'était sympa, ce dîner. Et si elle ne le fait pas, c'est moi qui m'y collerai.

À ma surprise, elle murmure (oui, elle s'exprime à voix basse, c'est frappant, comme pour ne pas être entendue d'un autre que moi ?) : j'espère que vous avez pu parler, Paul et toi.

Et j'ignore absolument ce qu'elle met derrière cette phrase. Veut-elle dire qu'il nous revenait de solder une facture en souffrance, de crever des abcès et que ces agapes auront au moins servi à cela ? (ce qui supposerait la persistance d'une sorte de contentieux, qui, pour le coup, n'existe pas). Qu'il importait de renouer le fil, avec l'espoir que les défuntes amours se transforment en une future amitié ? Ou simplement qu'il est agréable de savoir que ce moment, cette récréation a eu lieu et que nous en sortons tous apaisés ? Veut-elle également laisser entendre qu'elle a fait exprès de nous laisser en tête-à-tête, longtemps, qu'elle a été à la manœuvre, que nous lui devons ces retrouvailles ? Affirmer une position de surplomb, comme si nous étions des enfants ? Veut-elle connaître le contenu de notre discussion, vérifier qu'il n'en sortira rien qui soit de nature à l'inquiéter ?

Je réponds : oui.

Pas un mot de plus. Cette frugalité me permet de ne pas choisir entre toutes les explications possibles, de ne pas me dévoiler non plus. Elle comprend immédiatement que je n'irai pas plus loin. Et s'efforce de ne pas montrer ce que cette réticence lui inspire. Afin que l'énigme entre nous soit équitablement partagée.

Elle enchaîne : je sais que c'était important pour lui, il ne me l'a pas dit bien sûr tu le connais, mais je voyais bien que lire tes livres, les acheter dès leur sortie, ça signifiait qu'il ne t'avait pas oublié, et quand il m'a téléphoné en fin de journée pour m'expliquer qu'il était passé devant une librairie, qu'il avait vu que tu y faisais une signature et qu'il était entré, je n'ai pas été plus étonnée que ça.

Je songe que Paul s'est sacrément arrangé avec la vérité : le hasard n'avait aucune place dans sa venue, cette désinvolture est une pure invention. Mais je suppose qu'il ne pouvait pas raconter l'histoire autrement : il fallait en minimiser l'importance, il ne fallait pas révéler que quelque chose de plus tenace l'avait poussé dans cette librairie.

Elle poursuit : quand il m'a dit que tu avais proposé qu'on dîne ensemble, j'ai été ravie.

Je pourrais corriger, préciser que l'invitation n'était destinée qu'à Paul à l'origine mais à quoi bon ? Il est trop tard pour rejouer le match et cette révélation jetterait une ombre, ou plutôt la conduirait à reconsidérer toute la séquence, à la lire avec d'autres yeux. Je me rends compte néanmoins que Paul a pris un risque : si, sans penser à mal, j'avais, dès le début du dîner, et même avant qu'il ne se montre, exposé la façon dont les choses se sont réellement passées, il se serait trouvé dans l'embarras. Il a parié que je ne le trahirais pas, parce que je me douterais que la situation n'était pas aussi simple, que le décor avait son envers.

Elle ajoute : en tout cas, ça m'a fait rudement plaisir de découvrir ce que tu étais devenu.

Je devine que l'acceptation de la proposition n'a pas forcément été immédiate (« en tout cas »), je retiens la formule de politesse (le « plaisir »), je mesure le poids des années (ce que je suis « devenu »).

Je songe : ce que j'ai traversé, accompli au cours de ces presque vingt ans a pu être raconté au cours d'un dîner. Ma vie tient en à peine trois heures.

Je dis : oui, moi aussi.

Le silence revient. Elle lance un regard en direction de la porte des toilettes tandis que je gratte la nappe avec l'ongle de mon pouce.

Par association d'idées, elle dit : ah, et Antoine est adorable, tu as vraiment dégoté un garçon épatant.

Elle est probablement sincère dans son jugement et je ne devrais là encore ne déceler aucune malice, aucun sous-texte, aucun double sens. Toutefois, j'entends : franchement, c'est inespéré qu'un garçon comme lui se soit entiché d'un homme comme toi, savoure ta chance. Sur ce point, elle n'aurait pas tout à fait tort. J'entends également : occupe-toi de ton couple. Et je m'en veux aussitôt de lui prêter ces mauvaises intentions. Car ce réflexe n'est que l'expression d'une jalousie médiocre, si on s'y arrête.

Elle se paie alors le luxe d'une plaisanterie audacieuse (je dis plaisanterie parce qu'elle accompagne sa question d'un clin d'œil appuyé et d'un large sourire) : bon, c'est un peu long, non ? qu'est-ce qu'ils peuvent bien fabriquer, ces deux-là ?

L'image se forme aussitôt dans ma tête, celle d'un rapprochement entre Antoine et Paul, dans le secret des toilettes d'un restaurant.

En réalité, à cet instant, ils se tiennent côte à côte devant les lavabos et se lavent les mains. Par l'entremise du miroir, ils échangent quelques mots, Antoine me les rapportera plus tard.

Antoine dit : c'était cool de te rencontrer, tu sais c'est la première fois que je suis avec *un type qui a eu une vie avant.*

(C'est-à-dire un type qui a eu des histoires et qui peut les raconter comme on raconte dans un livre, un type qui a été amoureux, a été quitté, a quitté, un type qui en a tiré des leçons, qui y a réfléchi, un type qui n'est plus dans l'innocence, la découverte, alors que lui, Antoine, est sans passé ou presque, demeure une page pratiquement blanche, qui se moque absolument des conséquences des étreintes ou des attachements, qui ne sait rien des blessures, des stigmates.)

Ce à quoi Paul répond : prends soin de lui, il le mérite. Avant de laisser s'écouler quelques secondes et d'ajouter : moi, je n'ai pas su faire.

Quand elle me sera répétée, une heure plus tard, une heure trop tard, cette phrase me bouleversera.

Antoine me confiera aussi que Paul l'a regardé *bizarrement* : je ne sais pas s'il voulait se souvenir de moi ou s'il se contentait de me mater.

Toujours ces questions du regret et du désir, intimement mêlées, on dirait bien.

Ils reviennent vers nous, marchant épaule contre épaule, d'un même pas. Je les vois ensemble, dans le même champ, dans le même mouvement, pour la première fois. Ils font la même taille. À part ça, rien de commun. Rien. Les différences d'âge, de corpulence, d'allure sautent aux yeux. Mais la plus grande différence tient au regard : d'un côté, le sombre profond ; de l'autre, le bleu. Je pourrais être surpris de constater que mes goûts sont finalement plus éclectiques que je ne l'imagine, pour ne pas dire contradictoires. La vérité, c'est que Paul et Antoine correspondent à deux moments très distincts de mon existence. À vingt ans, j'étais plein d'émois, d'espérance et de gravité et j'ai choisi Paul. À quarante ans, la nonchalance a gagné et c'est Antoine.

Je chasse le trouble provoqué par l'image.

Mais les deux hommes ont eu le temps, l'un et l'autre, de l'apercevoir, j'en suis sûr. L'un et l'autre ont compris que j'avais vu mon passé et mon présent s'avancer côte à côte, qu'ils viennent de m'offrir un résumé saisissant de mon existence. Ce qu'ils ne devinent pas, c'est qu'il m'a semblé assister, aussi, à un pas de deux entre les vivants et les morts.

Nous quittons le restaurant pour nous retrouver sur le trottoir. Le froid nous saisit. Il subsiste quelque chose de l'hiver, la douceur attendra encore un peu. Les guirlandes multicolores clignotent, jetant un peu de gaieté dans l'air du soir. Le bitume est jonché de mégots de cigarettes mais aussi de confettis comme si on avait fait la fête un peu plus tôt. Deux garçons s'embrassent sous une porte cochère, l'un empoignant le cul de l'autre. Nous les remarquons mais aucun de nous ne s'attarde sur eux. Un haut-parleur, dissimulé je ne sais où, diffuse un vieux tube d'Abba. Dans ce décor, il me semble soudain que nous sommes si sérieux et si vieux.

Il est temps de prendre congé désormais. Paul rappelle qu'il décolle tôt pour New York le lendemain matin. J'en profite pour signaler que je suis attendu à Québec, où je ne suis jamais allé. Ces déplacements programmés, imminents ne font qu'accentuer la sensation que c'est bien ici et maintenant que nos chemins se séparent.

Il faudrait éviter les formules attendues mais nous n'y couperons pas. C'est Isabelle qui prononce les paroles redoutées : n'attendons pas dix-huit ans pour nous revoir ! Et chacun se croit obligé de sourire.

Dans la foulée, elle s'approche de moi pour m'embrasser. Avant de se diriger vers Antoine et de l'embrasser à son tour. S'ensuit un moment de confusion, une légère hésitation qu'Antoine dissipe en allant embrasser Paul, avec une jolie brusquerie. Je n'ai donc plus qu'à m'approcher de Paul, à déposer des baisers sur ses joues. Ce contact ne produit pas l'effet escompté : il ne fait pas surgir l'affolant souvenir de son épiderme, de sa bouche. En revanche, je constate que son odeur est inchangée. Je l'aurais reconnue entre toutes. Je dis : tu mets toujours ce parfum. Il dit que oui.

Nous repérons un taxi et Antoine, prenant les choses en main, le hèle. Isabelle en profite pour signaler qu'ils se sont garés dans un parking et qu'en conséquence, le véhicule est pour nous. Quand il stoppe à notre hauteur, je me demande si nous nous reverrons un jour et, dans mon esprit, la réponse est non.

Oui, cette fois, c'est bien fini. Il n'y aura pas d'après. Il n'y aura pas de deuxième chance. Il n'y aura pas d'histoire qui recommence ou qui continue. Me revient soudain cette phrase repérée quelques mois plus tôt dans un roman de Bret Easton Ellis, une phrase qui avait provoqué en moi une sensation curieuse, proche de la douleur, au point de s'ancrer aussitôt dans mon esprit : « Tout était dans le passé et allait y rester. »

Nous nous engouffrons dans le taxi, nous claquons la portière et nous adressons un dernier salut aux époux derrière la vitre. Tandis que nous nous éloignons, je ne peux m'empêcher de me retourner. Paul a enroulé son bras autour de l'épaule de sa femme. Je pense qu'il lui dit : ne va pas prendre froid.

Je me souviens qu'il avait eu un jour le même geste pour moi, un soir, alors que nous approchions de l'appartement de la rue Judaïque, j'avais frissonné et il avait enroulé son bras autour de mon épaule, et nous avions marché ainsi quelques instants, la rue était déserte, personne ne pouvait nous apercevoir.

Je le revois, ce même soir, un peu plus tard, après l'amour, j'étais encore étendu dans les draps, il s'était levé, il regardait par la fenêtre le jardin en contrebas plongé dans l'obscurité, il était nu, sa silhouette se découpait dans la fenêtre, et j'avais pensé alors : c'est un moment parfait, et j'avais pressenti – déjà – que ce serait un moment unique, voué à devenir un jour un souvenir déchirant. Et puis, il avait prononcé des mots simples et sublimes : *je suis bien ici.*

Que je vous raconte enfin : au cours de la nuit qui a suivi, dans la chambre de Montréal, dans le printemps de Montréal, alors que j'étais couché en quinconce contre Antoine, et que le sommeil refusait de venir, un message s'est affiché sur mon téléphone. J'ai reconnu la vibration distinctive ainsi que la lueur pâle et artificielle de l'écran qui se rallume. Je me suis détaché d'Antoine, en douceur, pour ne pas le réveiller. Et, dans le silence feutré de la chambre d'hôtel, j'ai lu le message.

Il était écrit : *pense à moi quelquefois.*

Cet ouvrage a été composé et mis en pages
par ÉTIANNE COMPOSITION
à Montrouge.